Basic Medical Navajo

An Introductory Text in Communication

by Alan Wilson

The University of New Mexico
Gallup Branch

AUDIO·FORUM

Basic Medical Navajo – An Introductory Text in Communication

ISBN 0-88432-453-2 text and cassette
ISBN 0-88432-611-X text only

Published by Audio-forum
a division of Jeffrey Norton Publishers, Inc.
One Orchard Park Road
Madison, CT 06443

Very special thanks are expressed to Bill and Jan Chapman for their work on this book; to Bill for his skillful typing of the entire work and to Jan for her preparation of the Lexicon.

table of contents

FOREWORD

This book is offered as an elementary text for those physicians who wish or need to communicate on a basic level about medical matters with Navajo speakers. It is not a complete course in medical parlance, but a beginning. It is most effectively used in conjunction with Breakthrough Navajo: An Introductory Course (Alan Wilson, UNM, Gallup Branch, 1969), a book which is concerned with basic general spoken Navajo. Students who have completed a year of study of Navajo 103-104M, a course at UNM, Gallup Branch in medical Navajo, have used both books and are able to communicate effectively with Navajos on medical and non-medical topics.

The book was written with the cooperation of Drs. Lance Chilton, Ken Crumley, Michael Posner and John Siebel of the PHS staff in Gallup (physicians and students of the Navajo language), each and all of whom presented material in English which they felt to be most medically pertinent and practical for a beginning course. Mrs. David Spicer, a nurse and native Navajo interpreter at the PHS hospital in Gallup, provided the Navajo version of the material. Special acknowledgement is given to Dr. Hugh Walker and Dr. Jack Ellis for their help and encouragement in publishing this work.

Generally speaking, the format of each
unit consists of a dialogue or dialogues,
vocabulary for the dialogues, physician's
questions and instructions, grammatical
explanations or notes, and verb paradigms.
The verb paradigms are given in the first
three persons singular only since it is
presumed that the physician, for the most
part, examines only one person at a time
and uses the singular form of address.
Complete paradigms (including dual and
plural forms) are to be found in
Breakthrough Navajo (Wilson) and
The Navajo Language (Robert Young and
William Morgan, Education Division,
U.S.Indian Service; published by Desert
Book Co., Salt Lake City, 1969).

Alan Wilson
July, 1972

The representations given are only approximate. For a very clear tape-recorded exposition of the Navajo sound system see <u>Breakthrough Navajo: an Introductory Course</u> (text and tape) by Alan Wilson, University of New Mexico, Gallup Branch.

The four basic vowels:

a - <u>a</u> in f<u>a</u>ther

e - <u>e</u> in s<u>e</u>t

i - <u>i</u> in b<u>i</u>t

o - <u>o</u> in g<u>o</u> (without offglide)

There are also long vowel sounds in Navajo. They are represented by doubling the vowel letter:

aa - a longer, more drawnout <u>a</u>

ee - <u>e</u> in th<u>e</u>y (without offglide)

ii - <u>i</u> in mach<u>i</u>ne

oo - a longer, more drawn out <u>o</u>

Vowel tone (voice pitch) may be low, high, falling, or rising. An acute accent mark indicates tonal variance.

a, e, i, o - low tone

á, é, í, ó - high tone

áa, ée, íi, óo - falling tone

aá, eé, ií, oó - rising tone

Nasalized (nasoral) vowels - vowels pronounced through the mouth and nose simultaneously - are represented thusly:

a, e, i, o

The Diphthongs:

ai	-	y in why
aii	-	as above, but last element long
aai	-	first element long
ao	-	ow in how
aoo	-	last element long
ei	-	ey in they
eii	-	last element long
oi	-	uoy in buoy or ewy in dewy
ooi	-	first element long

The Consonants:

'	-	represents a glottal stop. The glottal stop at the beginning of and between the English exclamation "oh oh" would be represented "'oh 'oh."
b.	-	voiceless, unaspirated; something like p in spot
ch'	-	ch position with a simultaneous glottal release
d	-	voiceless, unaspirated; something like t in stop
dl	-	d and l pronounced simultaneously
dz	-	somewhat like dz in adze
g	-	voiceless, unaspirated; something like k in skid
x,h	-	h in hot and often like ch in German doch
hw	-	wh in where
gh	-	the voiced equivalent of x (as in German doch)

j   -   between English   j   and ch

k   -   voiceless, pronounced with velar aspiration

kw -   qu   in   quick

k'   -   produced by releasing the back of the tongue
from against the soft palate and releasing
the glottal closure simultaneously

l   -   l   in   lid

ł   -   voiceless; tongue is in l position and
aspiration is lateral (along the side or
sides of the tongue) without voicing

t   -   pronounced with velar aspiration

t'   -   produced by simultaneous release of glottal
closure and tip of tongue from the alveolar
ridge

ts' -   ts position with simultaneous tongue and
glottal releases described above

tł   -   t and ł pronounced simultaneously

tł' -   tł position with simultaneous tongue and
glottal release

zh -   s   in   measure

The consonants represented by ch, m, n, s, sh, ts, w, y and z

are very close to their English equivalents in pronunciation.

* from LAUGHTER: THE NAVAJO WAY; Alan Wilson, with Gene Dennison;
UNM Gallup Branch; Gallup, New Mexico; 1970; pp.xiv,xv,xvi

anatomical terms

A brief list of anatomical terms

(Each term is given with the possessive prefix <u>ni-</u>,
meaning <u>your</u>: thus <u>nitsiits'iin</u>, your head)

1.	nits'íís	your body
2.	nitsiits'iin	your head
3.	nináá'	your eyes
4.	níchį́įh	your nose
5.	nijaa'	your outer ear(s)
6.	nijééyi'	your inner ear
7.	nizéé'	your mouth
8.	niwoo'	your tooth, teeth
9.	nitsoo'	your tongue
10.	nidaa'	your lip
11.	niwótsį'	your gums
12.	nikááz	your tonsils
13.	nidáyi'	your throat
14.	nik'os	your neck
15.	niwos	your shoulder

16. nibe'   your breast (female)

17. niyid   your chest (upper, outer)

18. nitsáá'   your ribs

19. nijéíts'iin   your chest cavity (rib cage)

20. nibid   your stomach

21. nits'éé'   your navel

22. nigaan   your arm

23. nich'oozhlaa'   your elbow

24. nilátsíín   your wrist

25. níla'; nílázhoozh your finger(s)

26. níla'   your hand

27. nik'ai'   your hip

28. nitł'aa'   your buttocks

29. nizhóózh   your vulva

30. nizíz   your penis

31. nicho'ayeezhii   your testicles

32. nijilchíí'   your anus

33. nijááid   your leg(s)

34.	nigod	your knee
35.	nikee'	your foot
36.	nikétal	your heel
37.	nikéts'iin	your ankle
38.	nikééyáázhí	your toe(s)
39.	nitsiighaa'	your brain
40.	nijéídishjool	your heart
41.	nijéíyilzólii	your lungs
42.	nizid	your liver
43.	nich'íí'	your intestines
44.	nichá'áshk'azhí	your kidneys
45.	nilizh bizis	your bladder

Unit One

dialogue

1. Doctor-   Awéé'ésh   bitah   doo hats'íi da?

   Interlinear trans.   the baby   its body   it is not well

   Free trans.   Is the baby ill?

2. Patient(parent)   Aoo',   bitah   doo hats'íi da.

                      yes   its body   it is not well

                      Yes, he (she) is ill.

   Variant expression: Bitah   honeezgai.

                      its body   it is feverish

                      He (she) is ill.

1. Haash yit'éego   bitah   honeezgai.

   how   its body   it is feverish

   How is he sick?

2. a. Dilkos.   He coughs, is coughing.

   b. Dikos   bidoolna'.   He has gotten a cough.
        cough   he got it

   c. Deezkwih.   He vomited.

   d. Nákwih.   He vomits (repeatedly).

e.	Bichaan tó.	His stools are watery.
	his excrement water	
f.	Bijééyi' hodiniih.	He has an earache.
	in his ear it hurts	
g.	Łóód silį́į́'.	He has a sore(s).
	sore(s) it became	
h.	Bináá' his baah.	His eyes have pus in them.
	his eyes pus in(on) them	
i.	Bináá' niichaad.	His eyes are swollen.
	his eyes they are swollen	
j.	Biné'é tó.	His nose runs.
	his nose water	

1.	Hádą́ą́'sh ádzaa?	When did he get sick?
	when it occurred	

2.	a.	Adą́ą́dą́ą́'.	Yesterday.
	b.	Tł'éédą́ą́'.	Last night.
	c.	Naakiiską́ą́dą́ą́.	Two days ago.
	d.	Damóo yę́ędą́ą́'.	Last week.

1.	Háíshą' ałdó' bitah	Who else is ill?
	who also his body	
	doo hats'íi da?	
	it is not well	

2.	a.	Bizhé'é bitah	His father is ill.
		his father his body	
		doo hats'íi da?	
		it is not well	

b. Bimá   bitah   His mother is ill.

his mother   her body

doo hats'íi da.

it is not well.

c. Bilah bitah doo hats'íi da.   His sister is ill.

d. Bideezhí bitah doo hats'íi da.   His younger sister is ill.

e. Bádí bitah doo hats'íi da.   His older sister is ill.

f. Bitsilí bitah doo hats'íi da.   His younger brother is ill.

g. Bínaaí bitah doo hats'íi da.   His older brother is ill.

physical exam

Doctor: Bijééyi'   yá'át'ééh.   His ears are fine.

           in his ears   it is good

           Bidáyi'   yá'át'ééh.   His throat is fine.

           his throat   it is good

           Doo   dikos   ntsaaí   da.   It's not pneumonia.

           not   cough   big one   not

           T'óó   dikos   t'éí   He's just got a cough(cold).

           just   cough   only

           bidoolna'.

           he got it

Patient: Díísh   ha'át'íí   át'é?   What is this?

          this   what   it is

Doctor: a. Díí   dikos   azee'   This is cough medicine.
           this   cough   medicine

        át'é.
        it is

       b. Díí   tsiits'iin   diniih This is aspirin.
          this   head   pain

        azee'   át'é.
        medicine   it is

instructions

Doctor: Béésh   adee'   yázhí   t'áálá'í   hadeezbingo
        iron   gourd   small one   one   full

        díi'di   baa   nánikáahgo   aná'át'áah doo.
        four times to him   you give it   the sun will repeatedly
                                                        set

Give him one teaspoonful four times a day.

        béésh   adee'   nstaaígíí   -tablespoon
        iron   gourd   big one

        T'áálá'ígo   baa   nánít'aah   doo   díi'di
        one   to him   you give   will   four times

        ahé'éíílkeed   bita'   ní'áago.
        hour   between   it extends

Give him one every four hours.

- 4 -

Yíwohdah	ádzaadą́ą́'	éí	doodago	doo
farther on	if it happens	it	not	not

yá'át'ééh	yileehdą́ą́'	naakiiską́ago	náádííłtééł.
good	if he becomes	in two days	bring him back

If he doesn't improve bring him back in two days.

Patient:

Doósh	baa	e'etséeh	da?
not	to him	he is injected	not

Doesn't he get a shot?

Doctor:

Dooda,	doo	bidééłníí	da.
no	not	effective	not

No, it wouldn't be effective.

grammatical notes

1. Question indicators:

   a. Suffix -ísh, -ésh, or -ásh to a word (usually early in the utterance) to form a question:

   dilkos - he coughs

   dilkosísh - does he cough

   bitah honeezgai - he is ill

   bitahásh honeezgai - is he ill

- 5 -

awéé' bitah honeezgai - the baby is ill

awéé'ésh bitah honeezgai - is the baby ill

b. End the utterance with the word daats'í to form a question:

nákwih - he vomits

nákwih daats'í - does he vomit

bichaan tó - his stools are watery

bichaan tó daats'í - are his stools watery

c. Begin the utterance with da' and suffix -ísh:

łóód silį́į́' - he has a sore

da' łóódísh silį́į́' - does he have a sore

Make questions of the symptoms given in the dialogue.

2. Possessive Pronouns:

shi-(sha-, she-)   my

ni-(na-, ne-)   your

bi-(ba-, be-)   his, her

tah - body, body frame   shitah - my body
tsiits'iin - head   shitsiits'iin - my head
amá - mother   bimá - his, her mother

3. <u>Forming negative utterances</u>:

        dooda - no, not

doo_<u>(utterance)</u>_da - it is not_<u>(utterance)</u>_.

    nákwih   he is vomiting

    doo nákwih da   he isn't vomiting, doesn't vomit

    diskos   I am coughing, I have a cough

    doo diskos da   I don't cough

Make negative utterances with the symptoms given in the dialogue.

4. <u>Past time</u>:

The enclitic <u>-dáá'</u> indicates past time.

        tł'éé'   night

        tł'éédáá'   last night

        naakiiskáago   in two days

        naakiiskáádáá'   two days ago

        hádáá'   when? (past time)

verb paradigms

to cough - present

1st	diskos
2nd	dílkos
3rd	dilkos

to vomit - past

1st	dékwih
2nd	díníkwih
3rd	deezkwih

to vomit - repetitive

1st	náshkwih
2nd	náníkwih
3rd	nákwih

Unit Two

dialogue

1. Nitahásh doo hats'íida?   Are you sick?

2. Aoo', shidáyi' hodiniih (honeezgai).

    Yes, I have a sore throat.

1. Nitsiits'iiních diniih?   Do you have a headache?

2. Doo ayóo diniih da.   It doesn't ache much.

1. Dílkosísh?   Do you have a cough?

2. Doo diskos da.   I don't have a cough.

1. Háísh ałdó' hooghandi bidáyi' hodiniih?

    Who else at home has a sore throat?

2. Shimá ałdó' bidáyi' hodiniih.

    My mother also has a sore throat.

dialogue vocabulary

1. nitah — your body

2. doo hats'íida — it is not well

3. aoo' — yes

4. shidáyi' — my throat

5. hodiniih — it hurts (throat or inner ear)

6. honeezgai — it hurts, is feverish

7. nitsiits'iin — your head

8. diniih — it hurts (other than throat or inner ear)

9. ayóó — a lot, very

10. dílkos — you cough

11. diskos — I cough

12. háísh? — who?

13. ałdó' — also

1. Naa a'ótsééhgo ná yá'át'éeh doo.
   you getting a shot for you it is good will be

   You need a shot.

   Azee' bił naa aná'átsihgoósh nijoołá?
   medicine with it into you he injects it it hates you

   Do you have reactions to shots?

2. Ndah, t'óó 'ahayóidi shaa aná'ótsih.
   no many times into me it is injected

   No, I've had a lot of shots.

1. Azee' neikáhí naa i'dootsih.
   medicine she who carries it you she will inject it

   The nurse will give you a shot.

   Nimá shaa díínááł bididííniił.
   your mother to me you come you tell her

   Tell your mother to come see me.

Táá háidi	bidáyi'	hodiniihígíí	ałdó'	shaa
who	his throat	it hurts	also	to me

díínáął	bididííniił.
you come	you tell him

Tell anyone else who has a sore throat to come see me.

instructions and comments

1.	kwe'é dah ńdah	sit down here
2.	diich'ééh	open your mouth
3.	nitsoo' hantsééh	stick out your tongue
4.	deigo díní'įį'	look up
5.	yaago díní'įį'	look down
6.	niilch'íił	close your eyes

grammatical notes

1. The locative enclitic -di (meaning at)

    -di suffixed to a noun indicates location:

hooghan	-	house, home
hooghandi	-	at home

Na'nízhoozhí	-	Gallup (the place of the bridge)
Na'nízhoozhídi	-	at Gallup

    with t'óó ahayóí (many):

t'óó ahayóidi	-	many times

    with numbers it indicates times:

táa'di	-	three times

2. The post position: shá, ná, bá (yá)

shá	-	for me
ná	-	for you
bá (yá)	-	for him, her

Naa a'ótséehgo <u>ná</u> yá'át'ééh doo. - You need a shot.

(Lit.; your getting a shot <u>for you</u> it is good will be)

    shá yá'át'ééh   it is good for me; I need it

When third person object and subject coincide <u>bá</u> changes to yá.

    yá yá'át'ééh   it is good for him, her;
                        he, she needs it

3. Expression of the future: the use of <u>-doo</u>, <u>dooleeł</u>
                               (either is correct)

     ná yá'át'ééh   it is good for you

     ná yá'át'éeh doo (dooleeł)

                 it will be good for you

     naashnish   I am working

     naashnish doo (dooleeł)

                 I'll work; I'll be working

4. The post positions <u>shaa</u>, <u>naa</u>, <u>baa</u> (meaning about, for, to me, you, him) used idiomatically with the verb <u>to arrive</u>:

    1st person   deesháál   I shall arrive

             naa deesháál   I'll come to see you
                             (I'll arrive to you)

    2nd person   díínáál   you will arrive

             shaa díínáál   come to see me

| 3rd person | doogááł | he will arrive |
| | naaásh doogááł | is he coming to see you? |

to come back to see one:

naa náádeeshdááł	I'll come back to see you
shaa náádíídááł	Come back to see me
shaa náádoodááł	He'll come back to see me

verb paradigms

to give one an injection or shot of it:

future	bił baa (naa) i'deestsih	I'll give him (you) an injection
	bił baa (shaa) i'díítsih	you give him (me) an injection
	bił naa i'dootsih	he will give you an injection

past	bił baa i'íítsi	I gave him a shot
	bił baa i'íínítsi	you gave him a shot
	bił shaa i'íítsi	he gave me a shot

repetitive		
	bił baa aná'ástsih	I give him shots
	bił baa aná'ítsih	you give him shots
	bił baa aná'átsih	he gives him shots

to arrive - future

     1<u>st</u> deesháál

     2<u>nd</u> díínáál

     3<u>rd</u> doogáál

Unit Three

dialogue A

1. Yá'át'ééh. Nitahásh doo hats'íida?

    Don't you feel well?

2. Shílátsíín neezgai.

    My wrist hurts.

1. Haash yinidzaa?

    What happened to you?

2. Chidí bikéeji' deez'áhí bii' háátłizh.

    I fell out of a pickup truck.

1. a. Lą'aa'. Nílátsíín ná nísh'í.

    All right. Let me look at your wrist.

   b. Jó niichaad dóó neezgai. K'é'élto' sha'shin.

    Well, it's swollen and painful.
    It may be broken.

   c. Ná bighá di'doodlał.

    It will be X-rayed.

    Nighá di'doodlał.

    You'll be X-rayed.

dialogue A   vocabulary

1. shílátsíín — my wrist (ní-, your; bí-, his, hers)

2. neezgai — it hurts .

3. haash? — what?

4. yinidzaa — it happened to you

5. chidí bikéeji' deez'áhí — pickup truck

6. bii' háátłizh — I fell out of it

7. lá'aa' — all right, fine

8. ná nísh'í — let me look at it (for you)
   I'll look at it for you

9. jó — well

10. niichaad — it's swollen

11. k'é'éitǫ' — it's broken

12. sha'shin — perhaps, possibly

13. ná — for you

14. bighá — through it (nighá, through you)

15. di'dooldlal (di'doodlał) — a light will be shone

1. Háágóósha' déyá? Where do I go.

2. a. Díí bikéé' yínááł. Follow this (pointing to
line painted on floor).

   b. Díí diłhiłgo dootł'izhígíí nít'i'ígíí bikéé' yínááł.

   Follow this blue line.

łichíí'ígíí	red
łitsoiígíí	yellow
łizhinígíí	black

   c. Díí naaltsoos yíłtsoos.

   Take this paper with you.

   d. Ké'éltǫ' lá. It's broken.

   Tsénádleehí ná bąąh ńdoot'ááł.

   A cast will be put on it for you.

   e. Hágo. Shikéé' yínááł.

   Come on. Follow me.

dialogue B vocabulary

1. háágóóshą'   where? (in what direction)

2. déyá   I am going

3. díí   this

4. bikéé'   it's track

5. yínááł   you walk

6. diłhiłgo   dark (referring to line on floor)

7. dootł'izhígíí   the blue one

8. nít'i'ígíí   the one that extends along

9. naaltsoos   paper, book

10. yíłtsoos   take it

11. lá   emphatic

12. tsénádleehí   a cast (cement, concrete)

13. baah   on it; alongside it

14. ńdoot'ááł   it will be placed

15. hágo   let's go, come on

16. shikéé'   my track, behind me

1. a. Kót'áo nigaan dah yítį́įł.

    Hold your arm up like this.

    b. Díí doo neezgai da.

    This won't hurt.

2. Haash nízahji' baah az'ą́ą doo?

    How long will it be on?

1. a. Díį'di damóoji'.

    Four weeks.

    b. Díí naaltsoos bik'ehgo azee' ííł'íní
        ats'in yee haniihígíí baa díínáął.

    Go with this form (appointment
    slip) to the bone specialist.

    c. T'áá 'ákódí

    That's all.

dialogue C vocabulary

1. kót'áo (also <u>kót'éego</u>)   like this, in this way

2. nigaan   your arm

3. dah   up

4. yítį́į́ł   you hold it, carry it

5. nízahji'   far, long; <u>nízah</u>, distance; <u>ji'</u>, up to it

6. baah   on it

7. az'ą́   it is in position

8. dį́į'di   four (times)

9. damóo   week, Sunday

10. naaltsoos bik'ehgo   form, appointment slip

11. azee' ííł'íní   doctor

12. ats'in   bone(s)

13. yee   with it

14. haniihígíí   the one who is an authority; <u>haniih</u>, he is an authority, expert

15. baa   to him

16. díínááł   you will arrive

17. t'áá 'ákódí   that's all, it is finished

1. Kojí díní'į́į́'.   Look this way.

2. a. Nideiji'éé' hadiiłtsóós.   Take off your shirt.

    b. Díí ałdó hadiiłtsóós.   Take this off, too.

    c. Ni'éé' hadiiłtsóós.   Take off your dress.

    d. Ni'éé' ha'diijááh.   Take off all your clothes.

    e. Nitł'aaji'éé' hadiit'aah.   Take off your trousers.

3. Díí 'éé' biih ninááh.   Get into these clothes.

4. Tsídeigo níteeh.   Lie back.

5. Tsii'yaa níteeh.   Lie face down.

6. Ńdah.   Sit up.

7. Neezgaiígíí bik'idiilnííh.   Show where it hurts.

days of the week

damóo	Sunday	damóogo	on Sunday
damóo biiskání	Monday	damóo biiskánígo	on Monday
naaki jį́	Tuesday	naaki jį́įgo	on Tuesday
táá' jį́	Wednesday	táá' jį́įgo	on Wednesday
díį́' jį́	Thursday	díį́' jį́įgo	on Thursday
ashdla' jį́	Friday	ashdla' jį́įgo	on Friday
damóo yázhí	Saturday	damóo yázhígo	on Saturday

bone anatomy

1. shííshgháán — my back

2. shiwos — my shoulder

3. shigaan — my arm

4. shich'oozhlaa' — my elbow

5. shílátsíín — my wrist

6. shíla' — my hand, my finger(s)

7. shitsąą' — my ribs

8. shik'ai' — my hip

9. shijáád — my leg

10. shigod — my knee

11. shikétsíín — my ankle

12. shikee' — my foot

13. shikétsoh — my toe

14. shikétal — my heel

Make statements and questions of the above with diniih, neezgai and

k'é'élto'.

verb paradigms

to look at - present

1st	nísh'į́
2nd	níníł'į́
3rd	yiníł'į́

to X-ray one, to shine a light through one - future

1st	bighá di'deeshdlał
2nd	bighá di'dííłdlał
3rd	yighá di'doołdlał

nighá' di'doołdlał - you'll be X-rayed

- past

shighá' deeldlááá - I was X-rayed

nighá' deeldlááádísh? - were you X-rayed?

to walk along - progressive

1st	yísháál
2nd	yínáál
3rd	yígáál

to hold it up (arm or leg) - present

1st   dah yeshtííł

2nd   dah yítííł

3rd   dah yootííł

to take it (somewhere) - future

díí azee' yíłtsoos	take this medicine (in a bag)
díí azee' yíjih	take this medicine (in a hand)
díí tsits'aa' yí'ááł	take this box
díí tł'óół yíłééł	take this string
díí tó yíkááł	take this water (in a container)
díí aza nátsihí yítííł	take this thermometer
díí awéé' yíłtééł	take this baby

Unit Four

dialogue A

1. Yá'át'ééh.
   Nitahásh doo hats'íida?

   Hello.
   Are you ill?

2. Nda, sha'awéé' náhádleeh.

   No, I'm pregnant.

1. Hádáá'sh t'áá nísínídlíí' ńt'éé'?
   Díkwíígóó yoołkáałgo?

   When did you menstruate last?
   On what date?

2. a. Yas ńłt'eesgo yéedą́ą́'.
   b. Díí' ńdeezidéedą́ą́'.

   Last January.
   Four months ago.

1. a. Áłtsé ni'dínóol'įįł.
   b. Jó yíníltsą́ą́ lá.
   c. Nidił dóó nilizh ná dínóol'įįł.
   d. Biih ílizh.
   e. Azee' ííł'íní asdzání yaa áhályání
   baa díínááł nda'iinííshgo.

   First, let's examine you.
   Well, you're pregnant all right.
   We'll take a blood and urine test.
   Urinate into this.
   Come to see the obstetrician
   on Friday.

vocabulary dialogue A

1. sha.'awéé'   my baby

2. náhádleeh   it's happening agin

3. t'áá   just

4. nísínídlíí'   you menstruate

5. ńt'éé'   past tense indicator; was

6. díkwíígóó   how much, how many

7. yas   snow

8. ńłt'ees   it roasts; yas ńłt'ees, January

9. yéedą́ą́'   indicator of past time

10. ńdeezid   month; ńdeezidéedą́ą́', a month past

11. áłtsé   first

12. ni'dínóol'įįł   you will be examined

13. jó   well, so, you know, you see

14. yíníłtsą́ you are pregnant

15. nidił your blood

16. nilizh your urine

17. ná for you

18. dínóol'įįł it will be examined

19. biih in, into

20. ílizh you urinate

21. azee' ííł'íní doctor

22. asdzání woman

23. yaa áhályání one who takes care of him, her, them

24. baa to, with, from him, her

25. díínááł you will arrive

1. a. Yíníltsáhígíí doo shił bééhózin da.   I don't know whether or not you are pregnant.

   b. Damóo ná'ásdlíí'go náádíídáałgoósh t'áá bíighah?   Can you come back next week?

2. Nda'iiníísh góne'é díkwíidi azlíí'go?   What time on Friday?

1. a. Náhást'éidi azlíí'go.   At 9:00 o'clock.

   b. Łats'ádahdi azlíí'go.   At 11:00 o'clock.

   c. Naakits'ádahdi azlíí'go.   At 12:00 o'clock.

1. Nsíníkwih daats'í?   Are you nauseated?

2. Doo nsékwih da.   I'm not nauseated.

1. a. Diłísh nighá nílí?   Any bleeding?

   b. Nijáádísh ńdaniicha'?   Any swelling of the legs?

2. Ndah, doo át'ée da.   No nothing like that.

vocabulary   dialogue B

1.	yíníltsąhígíí	if you're pregnant
2.	shił bééhózin	I know it
3.	damóo	week, Sunday
4.	ná'ásdlíí'	it becomes again
5.	náádíidáałgo	your returning
6.	t'áá	just
7.	bíighah	it is possible
8.	nda'iiníísh	Friday
9.	góne'é	in it
10.	díkwíidi azlíí'?	what time is it?
11.	díkwíidi azlíí'go?	at what time?
12.	nsiníkwih	you are nauseated
13.	nsékwih	I am nauseated
14.	dił	blood
15.	nighá	through you
16.	nílį	it flows
17.	ńdaniicha'	it swells (repeatedly)
18.	át'é	it is; doo át'ée da, it isn't

supplementary statements

1. Azee' naakigo naa deeshnił.

   I'll give you two kinds of pills.

2. Nihiká adoolwoł.

   It will help you (and your baby).

3. Azee' naakigo naa deeshnił nihiká adoolwołgo biniiyé.

   I'll give you two kinds of pills to help you
   (and your baby).

4. Áłts'íísígíí t'áałá'ígo táa'di ánáníłnahgo aná'át'áah doo.

   Take (swallow) the small one three times a day.

5. Daantsaaígíí t'áałá'ígo t'áá'ákwíí abínígo ánáníłnah doo.

   Take the big one every morning.

supplementary statements vocabulary

1. naakigo — two kinds

2. naa — to you

3. deeshnił — I shall give (something separable)

4. nihiká — for you (more than one)

5. adoolwoł — it will run; nihiká adoolwoł, it will help you

6. biniiyé — for the purpose of; adoolwołgo biniiye, for the purpose of (it) helping

7. áłts'íísígíí — the small one(s)

8. t'ááłá'ígo — one (of a kind)

9. táa'di — three times

10. anáníłnahgo — you swallow it, them

11. aná'át'áahgo — the sun repeatedly sets

12. daantsaaígíí — the big one(s)

13. t'áá'ákwíí — every (day, summer, etc.)

14. abínígo — morning .

physical exam

1. Yéigo dídziih.

   Take a deep breath.

2. T'áá hazhó'ógo ńdídzih.

   Breath slowly.

3. Yiiziih.

   Stand up

4. Ni jééyi' dideesh'iił.

   I (I'll) examine your ear.

5. Díí doo neezgai da.

   This won't hurt.

6. Áłts'íísígo neezgai doo.

   This will hurt a bit.

7. Díí éí neezgai doo biniina hazhó'ó síníti.

   This will hurt, so lie still.

- 35 -

grammatical notes

Ha'át'íí shaa dííléél?   What will you give me?

Azee' ła' naa deeshnił.   I'll give you some medicine.

If the questioner is not certain about what is to be given, the stem
-lééł is used . . . as above, díílééł, you will give it.

The prefixal components for handling verbs in the future (singular) are:

     1st   deesh-

     2nd   díí-

     3rd   yidoo-

Compare: Ha'át'íí shaa díílééł?   What will you give me?
                                    (unknown objects)

Azee'ésh shaa díínil?   Will you give me medicine?
                                    (separable such as pills or
                                    tablets)

Aoo', ła' naa deeshnił.   Yes, I'll give you some.

verb paradigms

to menstruate - past

    1<u>st</u>   nísílį́į́'

    2<u>nd</u> nísínílį́į́'

    3<u>rd</u> nisilį́į́'

to be examined - passive future

    1<u>st</u> shi'dinóol'į́į̱ł   I'll be examined

    2<u>nd</u> ni'dinóol'į́į̱ł   you will be examined

    3<u>rd</u> bi'dinóol'į́į̱ł   he, she will be examined

to urinate - present

    1<u>st</u> ashlizh

    2<u>nd</u> ílizh

    3<u>rd</u> alizh

to be pregnant - present

    1<u>st</u> yistsą́

    2<u>nd</u> yíníltsą́

    3<u>rd</u> yiltsą́

to be nauseated, to vomit - past

1st	ńsékwih
2nd	ńsíníkwih
3rd	názkwih

to be swollen -

niichaad	it is swollen
ńdaniicha'	it swells

to swallow it - repetitive

1st	anáshnah
2nd	anáníɬnah
3rd	anéíɬnah

Review Supplement
Number 1

1. Awéé'ésh bitah doo hats'íi da?   Aoo', bitah doo hats'íi da.
                                     or/ Bitah honeezgai.

2. Haash yit'éego bitah honeezgai?   Dilkos.

                                     Dikos bidoolna'.

                                     Deezkwih.

                                     Nákwih.

                                     Bichaan tó.

                                     Bijééyi' hodiniih.

                                     Łóód silį́į́'.

                                     Łóód baah hazlį́į́'.

                                     Bináá' his baah.

                                     Biné'é tó.

3. Hádą́ą́'sh ádzaa?   Adáádą́ą́'.

                                     Tł'éédą́ą́'.

                                     Naakiiskándą́ą́'.

                                     Damóo yéedą́ą́'.

4. Háísha' ałdó' bitah doo hats'íi da? Bimá bitah doo hats'íi da.

                                     Bideezhí bitah doo hats'íi da.

                                     Bínaaí bitah doo hats'íi da.

                                     Bizhé'é bitah doo hats'íi da.

- 39 -

5. Díísh ha'át'íí át'é?

Díí dikos azee' át'é.

Díí tsiits'iin diniih azee' át'é.

6. Doctor's instructions to patient:

Béésh adee' yázhí t'áá'áłá'í hadeezbingo díí'di baa náníkáahgo aná'át'áah c

Yíwohdah ádzaadą́ą́' éí doodago doo yá'át'ééh yileehdą́ą́' naakiskáago náádííłt

7. Doósh baa e'etséeh da?

Dooda, doo bidééłníí da.

8. Dilkosísh?

Aoo', dilkos.

9. Bitahásh honeezgai?

Dooda, bimá bitah doo hats'íída.

10. Nákwih daats'í?

Aoo', nákwih.

11. Bichaan tó daats'í?

Aoo', bichaan tó.

12. Da' łóódísh silį́į́'?

Aoo', łóód silį́į́'.

Dooda, łóód doo silį́į́'da.

13. Awéé'ésh bitah doo hats'íída?

Aoo', bitah doo hats'íída.

Haash yit'éego bitah honeezgai?

Dikos bidoolna'.

Hádą́ą́'?

Naakiskáádą́ą́'.

Unit Two

1. Nitahásh doo hats'íi da?

Aoo', shidáyi' hodíniih.

2. Nitsiits'iinísh diniih?

Doo ayóo diniih da.

3. Dílkosísh?   Doo diskos da.

4. Háísh ałdó' hooghandi bidáyi'   Shizhé'é ałdó' bidáyi' hodiniih.
   hodiniih?

5. Shaa i'díítsihísh?   Aoo', naa a'deestsih.

   Naa aná'ótsihgoósh nijoołá?   Ndah, t'óó 'ahayóidi shaa aná'ótsih.

6. <u>Doctor's</u> <u>instructions</u> <u>to</u> <u>patient</u>:

   Azee' neikáhí naa i'dootsih. Nimá shaa díínááł bididííniił. T'áá háidi
   bidáyi' hodiniihígíí ałdo' shaa díínááł bididííniił.

7. <u>Instructions</u> <u>for</u> <u>physical</u> <u>examination</u>:

                                   Kwe'é dah ńdah.

                                   Díich'ééh.

                                   Nitsoo' hantsééh.

                                   Deigo díní'íí'.

                                   Yaago díní'íí'.

                                   Niilch'ííł.

8. Shá yá'át'ééhésh doo?   Aoo', ná yá'át'éeh doo.

9. Nanilnishísh.   Ndaga', doo naashnish da.

10. Da' shaa náádíídááł?   Aoo', naa náádeeshdááł.

11. Shaa i'díítsihísh?   Aoo', naa i'deestsih.

12. Shaa náádoodááł daats'í?   Aoo', naa náádoodááł.

13. Bił baa i'íítsi daats'í?   Ndah, doo bił baa i'íítsi da.

14. Bił baa aná'ótsih daats'í?   Aoo', bił baa aná'óstsih

Unit Three

1. Yá'át'ééh. Nitahásh doo hats'íi da?   Shílátsíín neezgai.

2. K'é'éltǫ'ósh sha'shin?   Jó niichaad dóó neezgai. Ná bighá di'doodlał.

3. Háágóóshą' déyá?   Díí diłhiłgo dootł'izhígíí nít'i'ígíí bikéé' yínááł.

4. K'é'éltǫ' daats'í?   Aoo', k'é'éltǫ' lá.

5. Tsénádleehíísh shá bąąh ńdoot'ááł?   Aoo', tsénádleehí ná bąąh ńdoot'ááł.

6. Háágóóshą' déyá?   Hágo. Shikéé' yínááł.

7. Díísh neezgai dooleeł?   Ndah, díí doo neezgai da. Kót'áo nigaan dah yítį́íł.

8. Haash nízahjí' bąąh azá'ą doo?   Díį'di damóo.

9. **Physical** **exam** **instructions**:   Kojí díní'į́į́'.

    Nidei ji'éé' hadiiłtsóós.

    Díí ałdó' hadiiłtsóós.

    Ni'éé' hadiiłtsóós.

    Ni'éé' ha'dii jááh.

    Nitł'aaji'éé' hadiit'aah.

    Díí 'éé' biih nínááh.

    Tsídeigo níteeh.

    Tsii'yaa níteeh.

    Ńdah.

    Neezgaiígíí bik'idiilnííh.

10. Nitahásh doo hats'íi da? Shííshgháán neezgai.

Shiwos k'é'élto'.

Shigaan k'é'élto'.

Shich'oozhlaa' niichaad.

Shílátsíín k'é'élto'.

Shíla' neezgai.

Shitsáá' diniih.

Shik'ai' neezgai.

Shijáád k'é'élto'.

Shigod niichaad.

Shikétsíín niichaad.

Shikee' neezgai.

Shikétsoh k'é'élto'.

Shikétal diniih.

11. Yighá'di'dooldlał daats'í? Aoo', yighá'di'dooldlał.

12. Nighá'deeldláádísh? Aoo', shighá'deeldláád.

13. Nighá'di'doołdlał daats'í? Ndaga', tł'éédą́ą́' shighá'deeldláád.

14. Naa doogááłísh? Aoo', damóogo.

Aoo', damóo biiskánígo.

Aoo', naaki jíigo.

Aoo', táá' jíigo.

Aoo', díí' jíigo.

Aoo', ashdla' jíigo.

Aoo', damóo yázhígo.

Unit Four

1. Yá'át'ééh. Nitahásh doo hats'ii da?   Ndah, sha'awéé' náhádleeh.

2. Hádáá'sh t'áá nísínidlíí' nt'éé'?   Yas nlt'eesgo yéédáá'.

3. Da' sha'awéé'ísh náhádleeh?   Jó yíníltsá lá.

4. Sha'awéé' náhádleeh daats'í?   Yíníltsáhígíí doo shil bééhózin da.

5. Damóo ná'ásdlíí'go náádíídáál goósh   Aoo', ashdla' jíígo.
   t'áá bíighah?

6. Nda'iiníísh góne'é dikwíidi azlíí'go?

                                              Náhást'éidi azlíí'go.

                                              Lats'ádahdi azlíí'go.

                                              Naakits'ádahdi azlíí'go.

7. Nsíníkwih daats'í?   Doo nsékwih da.

8. Dilísh nighá nílí?   Ndah, doo át'ée da.

9. Nijáádísh ndaniicha'?   Aoo', shijáád niichaad.

10. Ha'át'íí shaa dííléél?   Azee' naakigo naa deeshnil nihiká
                                     adoolwolgo biniiyé. Álts'íísígíí
                                     t'áálá'ígo táa'di ananílnahgo
                                     aná'át'áah doo. Daantsaaígíí
                                     t'áá'ákwíí abínígo ananílnah doo.

11. Azee'ésh shaa díínil?   Aoo', la' naa deeshnil.

12. Díkwíidi azlíí'?   Lats'ádahdi azlíí'.

13. Díkwíidi azlį́į́'go?   Naakits'ádahdi azlį́į́'go.

14. Physical exam instructions and statements:

Yéigo ńdídziih.

T'áá hazhó'ógo ndídziih.

Yiizį́į́h.

Nijééyi' dideesh'įįł.

Díí doo neezgai da.

Ałts'íísígo neezgai doo.

Díí éí neezgai doo biniina hazhó'ó
sínítį́.

Unit Five

dialogue A

1. Yá'át'ééh. Haa hóćt'ịid?   Hello. What's wrong? (What happened?)

2. Shijáád łóód silį́į́'.   My leg is infected (I have a sore(s) on my leg).

1. a. Ná nísh'į́.   Let me see it.

    b. Hádą́ą́'shạ' ádzaa?   When did it happen? (i.e., how long have you had it?)

2. Naaki nááhai.   Two years.

1. T'áásh áłahjị' łóód?   Has it been infected all the time?

2. Ndah, łahda át'é łahda doo 'át'ée da łeh.   No, they (it) come(s) and go(es).

1. Azee'ésh bạạh íinilaa?   Did you put medicine on it?

2. a. Azee' bạạh íishłaa.   I put medicine on it.

    b. Azee' yạạh áyiilaa.   He put medicine on it.

    c. Nashi'dishgizh.   I had an operation. (see notes for further discussion of this concept.)

    d. Bik'íńdísdis.   I have been wrapping it. (See paradigm.)

dialogue A vocabulary

1. haa? — what?

2. hóót'įįd — it happened, occured

3. shijáád — my leg

4. łóód — a sore, sores

5. silį́į́' — it became

6. ná nísh'į́ — I'll look at it for you; let me see it; ná-, for you; nísh'í, I'll look at it

7. hádą́ą́'sha'? — when? (past time)

8. ádzaa — it happened, occured

9. naaki — two

10. nááhai — years

11. t'áá'áłahjį' — all the time

12. ndah — no

13. łahda — sometimes

14. át'é — it is; łahda át'é, łahda doo át'ée da, sometimes it is, sometimes it isn't, i.e., it comes and goes

15. azee' — medicine

16.	baah	on it
17.	íiniilaa	you made it, i.e., put it on
18.	íishłaa	I made it, put it on
19.	áyiilaa	he, she made it, put it on
20.	nashi'dishgizh	I was operated upon, cut

dialogue B

1. Díísn neezgai?

   Does this hurt?

2. Aoo', neezgai.

   Yes, it hurts.

1. a. Nidzéíts'iinísh neezgai?

      Does your chest hurt (now)?

   b. Nidzééts'iinísh nániigah?

      Do you ever get chest pains?

2. Aoo', shidzéíts'iin neezgai (nániigah).

   Yes, my chest hurts (I get chest pains).

1. a. Yísdahásh nínízin?

        Are you short of breath?

    b. Ch'ééhésh dídziih?

        Do you breathe with difficulty?

    c. Ch'ééhésh dídziih łeh?

        Are you ever short of breath?

    d. Yisdahásh nánídleeh?

        Are you ever short of breath?

2. a. Aoo', yisdah nisin.

        Yes, I'm short of breath.

    b. Aoo', ch'ééh disdziih.

        Yes, I'm short of breath.

    c. Aoo', ch'ééh disdziih łeh.

        Yes, I'm usually short of breath.

    d. Aoo', yisdah náshdleeh łeh.

        Yes, I'm usually short of breath.

1. Nichátł'ishísh dił bitah?

        Is there blood in your sputum?

2. a. Aoo', shichátł'ish dił bitah.

        Yes, my sputum has blood in it.

    b. Ndah, doo át'ée da.

        No, I don't (it isn't like that).

dialogue B vocabulary

1. díí — this

2. neezgai — it hurts (present)

3. nidzéíts'iin — your chest

4. nániigah — it hurts, repeatedly or recurrently

5. yisdah — refers to breathing; exact meaning not known

6. nínízin — you want it

7. nisin — I want it

8. ch'ééh — scarcely, barely, with difficulty

9. dídziih — you breathe

10. disdziih — I breathe

11. łeh — usually

12. nánídleeh — you become (when prepounded by yisdah, shortness of breath is indicated)

13. nicháłł'ish — your sputum, phlegm

14. dił — blood

15. bitah — in, among it

16. át'é — it is

instructions and comments

1. Ni jááד   bits'oos   łichíí'ígíí   łóód   baah

   your leg   its vein(s)   the red ones   sore   on it

   The veins of your leg are infected.

2. Azee'   bił   naa   adeestsih.

   medicine   with it   into you   I'll inject it

   I'll give you a shot.

3. Tó   sido   biih   ńdíl'is*   doo

   water   warm   in it   you soak your foot   will

   t'áá'ákwííjį'

   every day.

   Soak it (your foot, leg) in warm water every day.

4.. Sínídáago   dóó   sínítįigo   dah   ni jááד

   when you sit   and   when you lie   up   your legs

   dei   át'éego   doo.

   upwards   it being   it will

   Sit and lie with your legs up.

5. Kodóó   t'ááłá'í   damóogo   shaa   náádíídáál.

   from here   one   week   to me   you will come again

   Come back to see me in one week.

---

* ńdílnih, soak your hand

grammatical notes

1. azee' baah íishłaa

   I put medicine on it; lit., I made medicine on it; íishłaa, I made it

2. yaah áyiilaa

   he put it on it; the b in baah and other post-positions (bá, baa, bich'í', etc.) changes to y when third person subject and object coincide in the utterance, i.e., he (subject) puts medicine (direct object) on it (indirect object)

3. a. nashi'dishgizh

   I had an operation: I was cut

   b. nani'dishgizh

   you had an operation
   (Make a question of this utterance.)

   c. nabi'dishgizh

   he, she had an operation

Other ways of expressing the same thing:

   d. shina'azhnish

   I was worked on

   e. nina'azhnish

   you were worked on (make a question)

   f. bina'azhnish

   he was worked on

   g. shin'doonish

   I will be worked on

   h. nin'doonish

   you will be worked on

   i. bin'doonish

   he, she will be worked on

4. a. shijáád shá ndeeshgish

   my leg was operated on
   (for me, shá)

   b. nijáádísh ná ndeeshgish?

   was your leg operated on?

   c. bijáád bá ndeeshgizh

   his leg was operated on

5. a. shijáád bina'azhnish

   my leg was worked on

   b. nijáád bina'azhnish

   your leg was worked on

   c. bijáád bina'azhnish

   his, her leg was worked on

6. Expressions of past time:

   naaki nááhai yéedą́ą́'   two years ago

   táá' ńdeezidéedą́ą́'   three months ago

   dį́į́' damóo yéedą́ą́'   four weeks ago

Present shortness of breath vs. recurrent or habitual shortness of breath:

   ch'ééhésh dídziih?

             are you short of breath (right now)?

   ch'ééhésh ńdídzih?

             are you (usually, always) short

             of breath?

   ch'ééh expresses the idea of difficulty; barely;

   scarcely

- 53 -

verb paradigms

to breathe - present

1st	disdziih
2nd	dídziih
3rd	didziih

to breathe - repetitive

1st	ńdísdzih
2nd	ńdídzih
3rd	ńdídzih

to become - past

1st	sélį́į́'
2nd	sínílį́į́'
3rd	silį́į́'

to become - repetitive

1st	náshdleeh
2nd	nánídleeh
3rd	nádleeh

to act, to do - past

        1st   ásdzǎa

        2nd   íindzaa

        3rd   ádzaa

to make it, to put (medicine) - past

        1st   íishłaa .

        2nd   íinilaa

        3rd   áyiilaa

to wrap it - repetitive

        1st   bik'índísdis

        2nd   bik'índídis

        3rd   yik'índídis

to want it, need it (breath) - present

        1st   nisin

        2nd   nínízin

        3rd   (yi)nízin

to look at it   -   present

1st	nísh'į́
2nd	níníł'į́
3rd	yiníł'į́

to sit   -   present

1st	sédá
2nd	sínídá
3rd	sídá

to lie   -   present

1st	sétį́
2nd	sínítį́
3rd	sitį́

Unit Six

dialogue

1. Haa hóót'įįd?

    What happened?

2. Díí shíla' baah łóód.

    This hand is infected (has a sore
    on it).

1. Hádą́ą́'sh ádzaa?

    When did it happen?

2. Naaki damóo yéedą́ą́', ákó ndi t'áá ániid
   índa niichaad.

    Two weeks ago, however it just started
    swelling (recently).

1. Kwe'ésh neezgai?

    Does it hurt here?

2. Aoo', kwe'é neezgai.

    Yes, it hurts here.

1. Háísh ałdó' naghandi bilóód hazlį́į́'?

    Who else at your home has a sore
    (infection)?

- 57 -

2. Shidá'í.

   My uncle.

1. Shaa díínááł bididííniił.

   Tell him to come to see me.

2. Hágoshíí.

   All right.

dialogue   vocabulary

1. shíla'   my hand

2. baah   on it (along side it)

3. azlíí'   it became (t'áá íiyisí dooda lá

                              azlíí', things became hopeless)

4. áko ndi   however, nevertheless

5. t'áá ániid índa   recently, just recently

1. Azee' neikáhí nilóód tááidoogis.

    The nurse will wash your sore(s).

2. Díí azee' ná bee deeshtłah.

    I'll put (spread) this medicine

    (ointment) on it for you.

3. Azee' bił naa adeestsih.

    I'll give you a shot.

4. T'áá 'ákwííjí nilóód tánínánígis

    Wash the sore(s) every day.

5. Díí azee' t'áá 'ákwííjí bee nánítłah doo.

    Put this ointment on it every day.

6. Doo yá'át'ééh yileehdą́ą́' kodóó t'ááłá'í damóogo

    náádíídááł.

    If it doesn't improve come back

    to see me in one week.

physical exam vocabulary

1. azee' neikáhí   nurse (medicine carrier)

2. tááidoogis   he, she will wash it

3. deeshtłah   I'll spread, smear it on

4. tánínánígis   you wash it (repetitively)

5. nánítłah   you spread it on (repetitively)

verb paradigms

to say it to him, her - future

     1st   bidideeshniił

     2nd   bididííniił

     3rd   yídidooniił

to wash it (anything impermeable) - future

     1st   táádeesgis

     2nd   táádíígis

     3rd   tááidoogis

to wash it - past

      1<u>st</u>   tááségiz

      2<u>nd</u>   táásínígiz

      3<u>rd</u>   táánéízgiz

to wash it - repetitive

      1<u>st</u>   táninásgis

      2<u>nd</u>   táninánígis

      3<u>rd</u>   táninéígis

to anoint, smear (salve, grease) - future

      1<u>st</u>   deeshtłah

      2<u>nd</u>   dííłtłah

      3<u>rd</u>   yidoołtłah

to anoint - past

      1<u>st</u>   séłtłah

      2<u>nd</u>   síníłtłah

      3<u>rd</u>   yistłah

to anoint - repetitive

       1st   náshtłah

       2nd   nánítłah (náníłtłah)

       3rd   néíłtłah

Unit Seven

dialogue

1.	Haa hóót'įįd?	What happened?
2.	Shinii' shégish.	I cut my face.
1.	Haash yit'éego ádzaa?	How did it happen?
2.	Da'ahiighą́ą́ nt'éé':	We were fighting.
	Ashiiké ła' shik'iijéé'.	Some guys jumped me.
1.	Hadą́ą́'?	When?
2.	Adą́ą́dą́ą́' hííłch'į'go.	Late yesterday afternoon.
	Adą́ą́dą́ą́' hiłiijį́į'go.	Yesterday at dusk.

vocabulary   dialogue A

1. shinii'   my face

2. shégish   I cut it

3. da'ahiighá   we(3 or more) fight

4. shik'iijéé'   they jumped me

5. híílch'į'go   mid to late in the afternoon

6. hiłiijíį'go   at dusk, twilight

1. a. Ná táádeesgis.

   Í'll wash it for you.

   b. Ná bik'idideesdis.

   I'll wrap it for you.

2. Ńdííłkałísh?

   Are you going to stitch (sew) it?

1. a. Ndah, doo ńdeeshkał da.

   No, I won't stitch it.

   b. Ndah, ałk'idą́ą́ ádzaa lá.

   No, it happened a long time ago.

   c. Ndah, k'ad shį́į́ his bąah.

   No, there is probably pus in it now (it's
   probably infected now).

   d. Ndah, t'įįhdígo his bąah.

   No, it's a bit infected.

   e. Ndah, łóód yileehgo doo ńjíłkad da.

   No, infected places aren't to be stitched.

2. Sid daats'í dooleeł?

   Will there be a scar?

1. a. Aoo', áłts'íísígo sid doo.

Yes, there'll be a small scar.

b. Naakiskáago shaa náádíídááł.

Come back to see me in two days.

c. Díí naaltsoos bik'ehgo náádíídááł.

Bring this appointment slip.

dialogue B vocabulary

1.	táádeesgis	I'll wash it
2.	bik'idideesdis	I'll wrap it
3.	ńdíílkał	you will sew, stitch it
4.	ńdeeshkał	I'll stitch it
5.	ałk'idáá'	a long time ago
6.	shíí	probably
7.	t'įihdígo	a little bit
8.	yileehgo	when it becomes infected
9.	sid	a scar
10.	dooleeł, doo	it will be
11.	áłts'íísígo	a little (bit)
12.	naaltsoos bik'ehgo	appointment slip

1. Haa'ísha' néezgai?

   Where does it hurt?

2. T'áásh áłáhjį' diniih?

   Is it a steady pain?

3. Łahdaásh doo át'ée da nádleeh?

   Does it come and go?

4. Hádą́ą́'sh niichaad díí kwe'é neezhchádígíí?

   How long have you had this swelling here?

5. Nitahásh honeezgai?

   Do you have a fever?

6. Nichaanísh néé'ni' (yítł'is)?

   Are you constipated?

verb paradigms

to cut, make an incision in it   - past

1st	shégish
2nd	shínígish
3rd	yizhgish

to cut, make an incision in it - future

1st	deeshgish
2nd	díígish
3rd	yidoogish

to wrap it - future

1st	bik'idideesdis
2nd	bik'ididíídis
3rd	bik'ididoodis

to sew, stitch it - future

1st	ńdeeshkał
2nd	ńdííłkał
3rd	néidoołkał

to become - present

1st	yishłeeh
2nd	nileeh
3rd	yileeh

Unit Eight

dialogue A

1. Áłahjį'ísh yéigo ídlą́?

   Do you drink too much?

2. a, Aoo', t'áá 'ákwíí jį́ yéigo ashdlą́.

   Yes, I drink a lot every day.

   b. Shibéeso hólǫ́ǫgo t'éiyá.

   Only when I have money.

   c. Ałk'idą́ą́' ałch'įįdígo ná'áshdlį́į́h ńt'éé' ndi k'ad t'éiyá

   lą'ígo ashdlą́.

   I used to drink only a little (in the old

   days) but now I drink a lot.

1. Ídlą́agoósh biniina nich'į' nahwii'ná?

   Does your drinking cause you problems?

2. Aoo', éí biniina shich'į' nahwii'ná.

   Yes, I have problems because of it.

1. Hádą́ą́'ash yéigo ídlą́?

   How long have you been drinking hard?

2. Kóhoot'éédą́ą́' yéigo ashdlá.

> I've been drinking hard for a year.

1. Díkwíí jíísh ídlą́?

> How many days (this episode) have you been
> drinking?

2. Táá' jį́ ashdlą́.

> I've been drinking for three days.

dialogue A   vocabulary

1.	áłahjį'	all the time
2.	yéigo	hard, a lot, very much
3.	ídlą́	you drink
4.	t'áá 'ákwííjį́	every day
5.	ałk'idą́ą́'	a long time ago
6.	áłch'į́į́dígo	a little bit
7.	ná'áshdlį́į́h	I drink (repeatedly)
8.	lą'ígo	a lot
9.	biniina	for the reason that, on account of it
10.	nich'į'	toward you
11.	nahwii'ná	it moves
12.	kóhoot'éédą́ą́'	last year

dialogue B

1. Łahásh nitah hoditłid łeh?

> Do you ever get the shakes?

2. Aoo', łahda shitah hoditłid łeh.

> Yes, sometimes I get the shakes.

1. K'adísh nitah hoditłid?

> Do you have the shakes now?

2. a. Aoo', k'ad shitah hoditłid.

> Yes, I have the shakes now.

   b. Ndah, k'ad doo shitah hoditłid da.

> No, I don't have the shakes now.

1. Nik'iná'iilchííhísh?

> Do you ever have nightmares?

2. Aoo', shik'iná'iilchííh.

> Yes, I have nightmares?

1. Doósh hazhó'ó íłhosh da?

> Do you have trouble sleeping? (Don't you sleep well?)

2. Doo hazhó'ó ashhosh da.

> I don't sleep well.

1. T'áadoo le'éésh nitah náhodiiyiiłnáh?

   Are you a nervous person?

2. Aoo', táadoo le'é shitah náhodiiyiiłnáh.

   Yes, I am a nervous person.

dialogue B   vocabulary

1. łah   sometimes, once

2. nitah   your body

3. hodítłid   it trembles

4. nik'iná'iilchííh   you have nightmares

5. shik'iná'iilchííh   I have nightmares

6. hazhó'ó   carefully

7. íłhosh   you sleep (contin.imper.)

8. ashhosh   I sleep (contin.imper.)

9. iiłháásh   you sleep (present)

10. t'áadoo le'é   things

11. shitah náhodiiyiiłnáh

                          they make me nervous

1. Ídláagoósh biniina nik'éí bich'į' nahwii'ná?

   Is your drinking causing problems with your family (relatives)?

2. Aoo', bich'į' nahwii'ná.

   Yes, it causes them problems.

1. Hooghandiíísh doo yá'át'éego haz'áą da?

   Is anything wrong at home?

2. Aoo', shimá ńt'éé' ádin.

   Yes, my mother died.

1. Ídlánígíísh haa yit'éego nich'ooní yaa ntsékees?

   What does your wife think about your drinking?

2. a. Éí doo bił yá'át'éeh da.

      She doesn't like it.

   b. Éí biniina shijoołá.

      She hates me for it.

1. T'áá sáhóósh ídlá éí doodaii' nik'isísh bił?

   Do you drink alone or with your friends?

2. T'áá sáhó ashdlá.

   I drink alone.

1. Nik'isísh áłahjį' naa ninádinakaahgo biniina ná'ídlį́į́h?

   Do you drink because your friends put pressure on you to do so?

2. Ndah, doo át'ée da.

   No, they don't.

dialogue C   vocabulary

1.	nik'éí	your relatives, family
2.	haz'á	a place
3.	ádin	he, she died; does not exist
4.	haa yit'éego	how, in what way
5.	nich'ooní	your spouse
6.	yaa ntsékees	he, she thinks about it
7.	shijoołá	he, she, it hates me
8.	t'áá sáhó	alone
9.	doodaii'	or
10.	naa ninádinakaahgo	they pressure you

grammatical notes

Dialogue A

The concept of "problem" is rendered idiomatically
by the expression shich'i' (nich'i', bich'i')
nahwii'ná (I have a problem) whose literal meaning
is it moves toward me.

Dialogue B

The following verbs are conjugated for person by
altering the pronoun prefix on the postposition -k'i-:

    shik'iná'iilchííh - I have nightmares

    nik'i'iilchíísh - Did you have a nightmare?

physical exam

1. Azee' bich'i' yá'át'éehgo íłhosh dooleełígíí naa deesh'ááł.

    I'm going to give you some sleeping medicine.

2. Azee' bich'i' doo ídláá dooleełígíí naa deesh'ááł.

    I'm going to give you some drinking control

    medicine (medicine against your future

    drinking).

verb paradigms

to drink - present intransitive

1st	ashdlą́
2nd	ídlą́
3rd	adlą́

to drink - present transitive

1st	yishdlą́
2nd	nidlą́
3rd	yidlą́

to drink - repetitive intransitive

1st	ná'áshdlį́į́h
2nd	ná'ídlį́į́h
3rd	ná'ádlį́į́h

to drink - repetitive transitive

1st	náshdlį́į́h
2nd	nánídlį́į́h
3rd	néídlį́į́h

to sleep - continuous imperfective

1st	ashhosh
2nd	íłhosh
3rd	ałhosh

to sleep -- present

1st	iishháásh
2nd	iiłháásh
3rd	iiłháásh

to think about it - present

1st	baa ntséskees
2nd	baa ntsíníkees
3rd	baa ntsékees

Review Supplement
Number 2

Unit Five

1. Nijáádísh łóód silį́į́?

   Aoo', łóód silį́į́'.

2. T'áásh áłahjį' łóód?

   Aoo', t'áá áłahjį' łóód.

3. Azee'ésh baah íinilaa?

   Aoo', éí baah íishłaa.

4. Nani'dishgizhísh?

   Aoo', nashi'dishgizh.

5. Bik'índídisísh?

   Aoo', bik'índísdis.

──────────────────

6. Díísh neezgai?

   Doo neezgai da.

7. Nidzéíts'iiních neezgai?

   Aoo', neezgai.

8. Yisdahásh nínízin?

   Yisdah nisin.

9. Ch'ééhésh dídziih?

   Ch'ééh disdziih.

10. Yisdahásh nánídleeh?

    Yisdah náshdleeh.

11. Nichátł'ishísh dił bitah?

    Shichátł'ish dił bitah.

1. Níla'ásh bạah łóód?   Shíla' bạah łóód.

2. Hádą́ą́'ásh ádzaa?   Naaki damóo azlį́į́'.

3. Kwe'éésh neezgai?   Aoo', kwe'é neezgai.

4. Háísh ałdó' naghandi bilóód hazlį́į́'? Shidá'í.

1. Níla'ásh shínígish?   Aoo', shégish.

2. Haash yit'éego ázdaa?   Ashiiké ła' shik'iijéé'.

3. Shá bik'ididíídisísh?   Aoo', ná bik'idideesdis.

4. Ńdííłkạłísh?   Ńdeeshkạł.

                                          Doo ńdeeshkạł da.

5. K'adísh his bạah?   Aoo', his bạah.

                                          T'įįhdígo his bạah.

6. Sid daats'í dooleeł?   Alts'íísígo sid doo.

7. Haa'ishạ' neezgai?   Kwe'é.

8. T'áásh áłahji' diniih?   Aoo', t'áá áłahji' diniih.

9. Łahdaásh doo át'ée da nádleeh?   Aoo', łahda doo át'ée da nádleeh.

10. Hádą́ą́'ąsh niichaad díí kwe'é neezhchádígíí?

Naakiską́ą́dą́ą́' ádzaa.

11. Nitahásh honeezgai? Shitah honeezgai.

12. Nichaanísh yítł'is? Shichaan yítł'is.

Unit Eight

1. Áłahjį'ísh yéigo ídlą́? T'áá'ákwííjį́ yéigo ashdlą́.

2. Ídlą́ą́goósh biniina nich'į' nahwii'ná?

Éí biniina shich'į' nahwii'ná

3. Hádą́ą́'ąsh yéigo ídlą́? Kóhoot'éédą́ą́' yéigo ashdlą́.

4. Díkwíí jį́ísh ídlą́? T'áá' jį́ ashdlą́.

_____

5. Łahásh nitah hoditłid łeh? Łahda shitah hoditłid łeh.

6. K'adísh nitah hoditłid? K'ad shitah hoditłid.

7. Nik'iná'iilchííhísh? Aoo', shik'iná'iilchííh.

8. Doósh hazhó'ó íłhosh da? Doo hazhó'ó ashhosh da.

9. Ch'ééhésh iiłháásh łeh? Ch'ééh iishháásh.

10. T'áadoo le'éésh nitah náhodiiyiiłnáh?

Aoo', t'áadoo le'é shitah

náhodiiyiiłnáh.

11. Ídlą́ągoósh biniina nik'éí bich'į' nahwii'ná?

                      Aoo', bich'į' nahwii'ná.

12. Hooghandiísh doo yá'át'éehgo haz'ą́ą da?

                      Shagnandi doo yá'át'éehgo haz'ą́ą da.

13. Ídlánígíísh haa yit'éego nich'ooní yaa ntsékees?

                    Éí biniina shijoołá.

14. T'áá sahóósh ídlą́?   Sik'is bił ashdlą́.

15. Nik'isísh bił ídlą́?   Ndah, t'áá sáhó ashdlą́.

16. Nik'isísh ałahji' naa ninádinakaahgo biniina ná'ídlį́į́h?

                    Aoo', sik'is ałahji' shaa

                    ninádinakaahgo biniina ná'áshdlį́į́h.

Unit Nine

dialogue

1. Níígháá'ásh neezgai?

   Does your back hurt?

2. Aoc', shííqháá' neezgai?

   Yes, my back hurts.

1. Haa'ísha' íiyisí neezgai?

   Where exactly does it hurt?

   Bik'iidiilnííh.

   Point to it.

   Nijáádísh baah ndíínii'?

   Does the pain go down your leg?

2. a. Aoo', nish'náájí baah ndíínii'.

      Yes, it goes down the right side.

   b. Aoo', nish'tł'aají baah ndíínii'.

      Yes, it goes down the left side.

   c. Aoo', t'áá ałch'ijííh baah ndíínii'.

      Yes, it goes down both sides.

1. T'áadoo le'éésh ndaazgo náníjah?

    Do you do heavy lifting?

2. Aoo', tsits'aa' ndaazígíí náshjah łeh.

    Yes, I usually lift heavy boxes.

1. Nijáádísh bitah doo hwiináa da?

    Does your leg feel weak?

2. a. Aoo', shijáád bitah doo hwiináa da.

    Yes, my leg is weak.

   b. Shikééyázhí doo áhályáą da.

    My toes are numb.

   c. Shikee' t'óó sisíí'.

    My feet tingle.

   d. Shitah hasíí'.

    I tingle all over.

dialogue vocabulary

1. nííghą́ą́'   your back

2. haa'íshą'   where? (on the body)

3. íiyisí   exactly

4. baah   on it, alongside it

5. ndíínii'   it hurts (continuaously)

6. nish'tł'aají   left (side)

7. nish'náájí   right (side)

8. t'áá ałch'ijííh   both sides

9. t'áadoo le'é   thing(s)

10. ndaaz(ígíí)   heavy

11. náníjah   you lift them

12. náshjah   I lift them

13. hwiiná   it is alive

14. doo bitah hwiináa da   it is weak

15. shikééyázhí   my toes

16. doo áhályą́ą da   it is, they are numb

17. sisíí'   it tingles

physical exam

1. Nighá' deeldláádéé' yá'át'ééh.

   Your X-ray is normal (good).

2. T'áálá'ídi damóojį' tóó sínítíį doo.

   Stay (lie) in bed for one week.

3. Tsásk'eh ntł'izígíí bikáá' ná'iiłhosh doo.

   Sleep on a hard bed.

4. T'áadoo le'é ndaazígíí t'áadoo nánéjahí.

   Don't lift anything heavy.

verb paradigms

to lift it - repetitive

1st	násh jah
2nd	nání jah
3rd	néí jah

to lift it   -   past

1st	nishi jaa'
2nd	nishíní jaa'
3rd	neiz jaa'

to lie - present

1st	sétí
2nd	síní tí
3rd	sití

Unit Ten

dialogue A

1. Nichátł'ish haash yit'é?

   What color (how) is your sputum?

2. a. Shichátł'ish díbéłîchíí' nahalingo.

   My sputum is brown.

   b. Shichátł'ish łitso nahalingo.

   My sputum is yellow.

   c. Shichátł'ish dootł'izh nahalingo.

   My sputum is green.

   d. Shichátł'ish łichíí' nahalingo.

   My sputum is red.

1. a. Haa néelt'e'go chátł'ish habííyidíłkees?

   How much sputum do you bring up?

   b. Béésh adee' yázhí hadeezbingo éí doodaii' baah

   ha'íízhahí hadeezbingo daats'í aná'át'ááh?

   A teaspoonful or a cupful a day?

2. T'óó 'ahayóigo habííyidiskees.

   I cough up a lot.

1. a. Yéigo ńdídzihgoósh nidzéíts'iin yéigo nániigah?

   Does your chest pain get worse (hurt a lot) when
   you take a deep breath?

   b. Dílkosgoósh nidzéíts'iin yéigo nániigah?

   Does your chest hurt a lot when you cough?

2. Aoo', yéigo ńdísdzihgo dóó diskosgo shidzéíts'iin
   yéigo nániigah:

   Yes, my chest hurts worse when I breath deeply
   and when I cough.

dialogue A vocabulary

1. chátł'ish   sputum

2. haash yit'é   how, what color

3. dibéłíchíí'   brown

4. nahalingo   it appears, seems like, resembles

5. haa néelt'e'go   how much

6. habííyidíłkees   you cough up

7. habííyidiskees   I cough up

8. béésh adee' yázhí a teaspoon

9. hadeezbingo   it's full

10. doodaii'   or

11. baah ha'íízhahí   a cup

12. aná'át'ááh   the passage of a day

13. t'óó 'ahayóigo   a lot, much

14. yéigo   hard, strenuously

15. ńdídzihgo   when you breathe

16. nidzéíts'iin   your chest

17. nániigah   it hurts

18. dílkosgo   when you cough

19. ńdísdzihgo   when I breathe

20. diskosgo   when I cough

grammatical note

haash yit'é means: how is it?

what is it like? or

what color is it?

1. Nitahásh honeezgai?

    Do you have a fever?

2. Aoo', shitah honeezgai.

    Yes, I have a fever.

1. Hak'azísh niih náálwo'?

    Do you have chills?

2. Aoo', hak'az shiih náálwo'.

    Yes, I have chills.

1. Yéigo neezgaiígíí bik'idiilnííh.

    Point to where it hurts most.

2. Kwe'é.

    Here.

1. Haa yit'éego neezgai?

    What is the pain like?

2. a. Béésh baa análgo' nahalingo neezgai.

    The pain is sharp like a knife.

   b. T'óó diniih.

    It's a dull pain (it merely hurts).

c. Dilidgo neezgai.

It's a burning pain.

d. Bik'izhdiilnii' nahalingo neezgai.

It's a pressure-like pain.

1. T'áásh bíighah k'ad azee' al'íígóó díínááł?

Can you come (arrive) into the hospital now?

2. Aoo', bíighah.

Yes, I can.

1. Azee' al'íígóó díínááł.

You should come into the hospital.

2. Hágoshíí.

All right.

dialogue B vocabulary

1.	hak'az	chill, coldness
2.	niih	into you
3.	náálwo'	it runs
4.	shiih	into me
5.	béésh baa análgo'	pocket knife
6.	dilidgo	burning, it burns
7.	bik'izhdiilnii'	pressing down, pressure

grammatical notes

1. <u>hak'az shiih náálwo'</u> has the feeling of <u>coldness</u>
    <u>running into me.</u> The postpositions are <u>shiih</u>,
    <u>niih</u>, <u>biih</u>.
    The idea of shaking, teeth-chattering chills is
    implied. <u>To be chilly or cold</u> is rendered by:

<u>1st</u>	yishdlóóh
<u>2nd</u>	nidlóóh
<u>3rd</u>	yidlóóh

2. <u>Bik'izhdiilnii'</u> nahalingo <u>neezgai, it is a pressure-</u>
    <u>like pain</u> literally means <u>somebody pressing upon it</u>,
    <u>seeming it hurts.</u>
    <u>Bik'izhdiilnii'</u> means <u>one puts his hands upon it.</u>

verb paradigms

to look like it, to be like it, to resemble - present

1st	nahonishłin
2nd	nahonílin
3rd	nahalin

to cough something up - present

1st	habííyidiskees
2nd	habííyidíłkees
3rd	hayídiiłkees

to breathe - repetitive

1st	ńdísdzih
2nd	ńdídzih
3rd	ńdídzih

to cough - present

1st	diskos
2nd	dílkos
3rd	dilkos

to arrive   -   future

     1st   deesháál

     2nd   díínáál

     3rd   doogáál

Unit Eleven

dialogue A

1. T'áadoo le'éésh baah níni'?

    Are you worried?

2. Aoo', baah shíni'.

    Yes, I'm worried.

1. Nitah doo hats'íida nahalin.

    You don't look well.

    Haa hóót'įid?

    What's wrong?

2. T'óó doo áháshyáa da nahalin.

    I think I may be going crazy.

1. Háát'íísh biniina ákót'éego ntsíníkees?

    Why do you think so?

2. Áłahjį' shich'į' yádajiłti' nahalin.

    I keep hearing voices (people talking to me).

1. Ha'át'íísh danilní?

   What do they say to you?

2. N'diyeeshhééł shiłní éí biniina násdzid.

   They threaten my life and I'm afraid.

1. a. T'áadoo baah níni'í.

      Don't be afraid.

   b. Níká adeeshwoł.

      I'll help you.

   c. Azee' ła' naa deeshnił.

      I'll give you some medicine.

   d. Díí azee' bee yá'ánít'éeh doo.

      This medicine will make you (feel) better.

dialogue A vocabulary

1. t'áadoo le'é   things

2. baah   beside it, alongside it, on it

3. níni'   your mind

4. shíni'   my mind

5. nahalin   ·   it seems, appears

6. doo áháshyáa da   I am crazy, stupid,
                          a blockhead

7. ha'át'íísh biniina?   for what reason?

8. ntsíníkees   you think it

9. shich'i'   to me, toward me

10. yádajiłti'   they are talking

11. daniłní   they say to you

12. n'díyeeshhééł   I'll kill you

13. shiłní   he, she says to me

14. násdzid   I am afraid

15. níká   for you

16. adeeshwoł   I shall run

17. yá'ánít'ééh   you are good

1. Díí jíísh doo nil hózhǫ́ǫ da?

   Are you sad today?

2. a. Aoo', t'áá'íiyisí doo shił hózhǫ́ǫ da.

   Yes, I'm very depressed.

   b. Náásgo doo bííníshghah da.

   I can't go on.

1. Há'át'éegoshą'?

   Why not?

2. a. T'áadoo shinízíní da.

   Nobody wants me.

   b. T'áá sáhó naashá.

   I'm all alone.

1. Níká adiijahgo nitah yá'áhoot'ééh doo.

   We'll help you feel better.

2. a. T'áadoo óoshne'í da.

   I can't do anything (I'm helpless).

   b. Doo shaah bíni'í da.

   Nobody cares about me.

Hazhó'ógo baah níni'ígíí bee shił hólne'.

Explain why you're worried.

2. T'áásh'aaníí shíínilts'áa' doo?

Will you really listen to me?

1. a. Aoo', t'áá'aaníí.

Yes, really.

b. Daníiníilts'áa' doo.

We'll listen to you.

c. Haa'ísha' ahił hwiilne'.

Let's talk together.

2. Shahane' la'í.

It's a long story.

dialogue B vocabulary

1.	dííjí	today
2.	shił (nił) hózhó	I (you) are happy
3.	t'áá'íiyisí	much, a lot
4.	náásgo	forward
5.	bíínishghah	I can, am able to

6. ha'át'éegoshạ'   why?

7. shinízin   he, she wants me

8. t'áá sáhó   alone

9. naashá   I walk about

10. adiijah(go)   (when) we shall run

11. óoshne'   I can

12. shił hólne'   tell me

13. t'áásh'aaníí?   really?

14. shíínííłts'ą́ą́'   you listen to me

15. danííníílts'ą́ą́'   we listen to you

16. haa'íshạ'   let's

17. ahił   together

18. hwiilne'   we talk

19. shahane'   my story, stories

20. lạ'í   many, much

grammatical notes

1. baah níni'   <u>it is on</u> (beside) <u>your mind</u>

                          is idiomatic for <u>you are</u>

                          <u>worried</u>

2. doo áháshyáá da   literally, <u>I do not take care</u>

                          is idiomatic for <u>I am crazy</u>

3. A negative imperative is formed with the construction

    t'áadoo _____ í, e.g.:

        t'áadoo baah níni'í   don't worry

        t'áadoo yáníłti'í   don't talk

        t'áadoo bóhooł'aahí   don't learn it

1. Níká adiijahgo nitah yá'áhoot'ééh doo. - <u>We'll help</u>

    <u>you feel better</u> is explained thusly:

        níká   for you

        adiijahgo   when we shall run

        nitah   your body

        yá'áhoot'ééh   it is good

        doo   it will be

<u>We shall run for you</u> is idiomatic for <u>we shall help you.</u>

- 102 -

to seem, appear like, resemble it - present

1st	nahonishłin
2nd	nahonílin
3rd	nahalin

to think it - present

1st	ntséskees
2nd	ntsíníkees
3rd	ntsékees

to talk - present

1st	yáshti'
2nd	yáníłti'
3rd	yáłti' *

to be afraid - present

1st	násdzid
2nd	náníldzid
3rd	náldzid

---

* 3a form - yádajiłti'; dist.pl. - yádałti'

to say it - present

shiłní	he says to me
niłní	he says to you
biłní	he says to him, her [1]

to run - future [2]

1st	adeeshwoł
2nd	adíílwoł
3rd	adoolwoł

to be good - present

1st	yá'ánísht'ééh
2nd	yá'ánít'ééh
3rd	yá'át'ééh

to be able - present

1st	bííníshghah
2nd	bíínighah
3rd	bííghah

---

1 plural: dashiłní, they say to me, etc.

2 prepounded with shíká, níká, bíká is idiomatic for to help one

to be able - present

        1st   óoshne'

        2nd   óone'

        3rd   óone'

to tell - present

        1st   nił hashne'   I tell you

        2nd   shił hólne'   you tell me

        3rd   shił halne'   he tells me

to listen to it - present

        1st   yínísts'ą́ą́'

        2nd   yíníłts'ą́ą́'

        3rd   yiyíísts'ą́ą́'

---

* when used with hazhó'ógo (carefully), is idiomatic for explain

- 105 -

Unit Twelve

dialogue A

1. Haa hóót'įįd?

   What's the trouble?

2. Shíni' ásdįįd.

   I fainted.

1. Abíndą́ą́'ash k'asdą́ą́' níni' ásdįįd?

   Were you feeling faint earlier this morning?

2. Shá bíighah shitah doo hółdzil da.

   I've been feeling weak all day.

1. Ałahji'ísh nitah doo hats'íi da?

   Have you been feeling sick?

2. Ndah, ndi hooghandi doo yá'át'éehgo haz'ą́ą da.

   No, but things haven't been going well at home.

dialogue A vocabulary

i. shíni'   my mind

2. ásdįįd   it disappeared, faded away

3. abíndą́ą́'   this (past) morning

4. k'asdą́ą́'   almost, nearly

5. níni'   your mind

6. shá bíighah   all day

7. hółdzil   it is strong

dialogue B

1. T'áadoo le'éésh nitah náhodiiyiiłnáh?

    Have you been anxious?

2. Aoo', t'áadoo le'é shitah náhodiiyiiłnáh.

    Yes, I've been anxious.

1. Łahdaásh tsxįįłgo ńdídzih łeh?

    Do you sometimes breathe fast?

2. Aoo', yéigo ńdísdzihgo k'asdą́ą́' shíni' ánádįįh.

    Yes, when I breathe hard I start feeling faint.

1. Łahdaásh nijéí tsxįįłgo yilwoł łeh?

    Does your heart ever beat fast?

2. Aoo', t'áadoo le'é baah shíni'go dóó tsxįįłgo ńdísdzihgo.

    Yes, when I am worried and when I breathe fast.

1. Niłísh nínáhodidáh?

    Have you been dizzy?

2. Aoo', shił nínáhodidáh.

    Yes, I have been dizzy.

1. K'ad niłísh náhodeeyá?

    Are you dizzy now?

2. Aoo', k'ad shił náhodeeyá.

    Yes, I'm dizzy now.

dialogue B vocabulary

1. nitah náhodiiyiiłnáh   you are anxious, nervous

2. łahda   sometimes

3. tsxį́įłgo   quickly, fast

4. łeh   usually

5. ńdídzih   you breathe

6. yéigo   hard, strenuously

7. ńdísdzih   I breathe

8. ánádįįh   it repeatedly disappears, fades away

9. nijéí   your heart

10. yilwoł   it runs (beats) along

grammatical notes

1. Fainting is expressed in Navajo as

   the mind fading away,

   i.e., shíni' ásdiid; lit.,

   my mind faded away, disappeared

2. The heart runs along, yilwoł,

rather than beats.

verb paradigms

to breathe - repetitive

      1<u>st</u>   ńdísdzih

      2<u>nd</u>   ńdídzih

      3<u>rd</u>   ńdídzih

to run along - present

      1<u>st</u>   yishwoł

      2<u>nd</u>   yílwoł

      3<u>rd</u>   yilwoł

Review Supplement
Number 3

Unit Nine

1. Níígháánísh neezgai?   Aoo', shíígháán neezgai.

2. Haa'ísha' íiyisí neezgai?
   Bik'iidiilnííh.   Kwe'é íiyisí neezgai.

3. Nijáádísh baah ndíínii'?   Nish'náájí baah ndíínii'

                                             T'áá ałch'ijííh báąh ndíínii'.

4. T'áadoo le'éésh ndaazgo nánijah?   Tsits'aa ndaazígíí náshjah łeh.

5. Nijáádísh bitah doo hwiináa da?   Bitah doo hwiináa da.

6. Nikééyázhíísh doo áhályáą da?   Doo áhályáą da.

7. Nikee'ésh t'óó sisíí'?   Aoo', t'óó sisíí'.

8. Nitahásh hasíí'?   Shitah hasíí'.

1. Nichátł'ish haash yit'é?   Shichátł'ish dibéłíchíí' nahalingo.

2. Haa néelt'e'go chátł'ish   Beesh adee' yázhí hadeezbingo
   habííyidíłkees?   daats'í aná'át'ááh.

                              T'óó 'ahayóígo habííyidiskees.

3. Yéigo ńdídzihgoósh   Yéigo ńdísdzihgo yéigo nániigah.
   (dílkosgoósh) nidzéíts'iin
   yéigo nániigah?

   ─────────────────────

4. Nitahásh honeezgai?   Shitah honeezgai.

5. Hak'azísh niih náálwo'?   Hak'az shiih náálwo'.

6. Haa yit'éego neezgai?   Béésh baa análgo' nahalingo neezgai.
                              T'óó diniih.
                              Dilidgo neezgai.
                              Bik'izhdiilnii' nahalingo neezgai.

7. T'áásh bíighah k'ad azee' Aoo', bíighah.
   al'įįgóó díínááł?

─ 113 ─

Unit Eleven

1. T'áadoo le'éésh baah níni'?   Aoo', t'áadoo le'é baah shíni'.

2. Haa hóót'įįd?   Doo áháshyáá da nahalin.

3. Áłahjį'ísh nich'į' yádałti'?   Aoo', áłahjį' shich'į' yádałti'.

4. Ha'át'íi daniłnɨ́?   N'diyeeshhééł shiłnɨ́.

5. Náníldzidish?   Aoo', násdzid.

---

6. Dííjíísh doo nił hózhóó da?   T'áá'íiyisí doo shił hózhóó da.

7. Náásgoósh bíínighah? ·   Doo bíínishghah da.

8. T'áá sáhóósh naniná?   Aoo', t'áá sáhó naashá.

9: Dooósh naah bíni' da?   Doo shaah bíni' da.

10. T'áásh'aaníí shíínłłts'áá doo?   Aoo', danííníilts'áá' doo.

Unit Twelve

1. Níni'ísh ásdįįd?   Aoo', shíni' ásdįįd.

2. Nitahásh hółdzil?   Shá bíighah shitah doo hółdzil da.

3. Áłahjį'ísh nitah doo hats'íida?   Áłahjį' shitah doo hats'íida.

4. Łahdaásh tsxįįłgo ńdídzih łeh?   Łahda tsxįįłgo ńdísdzih łeh.

5. Łahdaásh nijéí tsxįįłgo yilwoł   Łahda tsxįįłgo yilwoł łeh.
   łeh?

6. Niłísh nínáhodidáh?   ·   Aoo', shił nínáhodidáh.

7. Niłísh náhoodeeyá?   Aoo', k'ad náhodeeyá.

---

abíndą́ą́'; this morning (past) 107

abínígo; morning 34

adą́ą́dą́ą́'; yesterday 2

adeeshwoł; I shall run 98,104

adeetsih; I'll inject it 51

adiijah(go): (when) we shall run 101

adíílwoł; you will run 104

ádin; he died, does not exist 73

adlą́; he drinks 76

adoolwoł; it will run 34, he will run 104

ádzaa; it occurred 2, he acted 55

ádzaadą́ą́'; if it happens 5

ahił; together 101

ákó ndi; however 51

alizh; he urinates 37

ałdó'; also 2

ałhosh; he sleeps 77

ałk'idą́ą́'; a long time ago 65

ąłtsé; first 25

ąłts'íísígíí; the small one(s) 34

amá; mother. 6

·aná'ástsih; I give shots 15

aná'át'ą́ą́h; a day will pass 89

aná'át'áah doo; each day 4

aná'átsih; he gives shots 15

aná'atsihgoósh?; he injects it? 11

áná'ítsih; you give shots 15

ánádįįh; it disappears, fades away 109

anáníłnah; you are swallowing it 35

ará'ótsih; it is injected 11

anáníłnahgo; you swallow them 34

anáshnah; I am swallowing it 38

anéíłnah; he is swallowing it 38

aoo'; yes 1

a'ótsééhgo; getting a shot 11

ásdįįd; it disappeared, faded away 107

ásdzaa; I acted (did) 55

asdzání; woman 30

ashdlą́; I drink 69, 76

ashdla'jį́; Friday 24

ashhosh; I sleep 72,77

ashiiké; boys 63

ashlizh; I urinate 37

át'é; it is 3

át'éego; it being 51

ats'in; bone(s) 21

awéé'; baby 1

áyiilaa; he put 46, he made it 55

ayóó; a lot, very 10

az'ą́; it is in position 21

aza nátsihí; thermometer 27

azee', medicine 4

azee'ííł'íní; doctor 21

azee' neikahi; nurse 11

bá; for him 52

baa; to him 4

baa e'etséeh; to him it is injected 5

baah; in(on) them 2, on it, alongside it, beside it 84, 98

baah ha'íízhahí; a cup 89

baah níni'; it is on your mind, you are worried 102

baa ntsékees; he thinks about it 77

baa ntséskees; I think about it; ;77

baa ntsíníkees; you think about it 77

bádí; his older sister 3

béésh adee'; spoon (iron gourd) 4

béésh adee' ntsaaígíí; tablespoon 4

béésh adee' yázhí; teaspoon 89

béésh baa análgo'; pocket knife 92

bi; his, her 6

bichaan; his excrement 2

bidáyi'; in his throat 3

bidééłní; effective 5

bideezhí; his younger sister 3

bidideeshnííł; I will say to him 60

bididííniił; you tell her 11

bi'dinóol'įįł; he will be examined 37

bidoolna'; he got it 1

bighá; through it 17

bighá di'deeshdlał; I shall X-ray him
              26

bighá di'dííłdlał; you will X-ray him
                     26

bíighah; it is possible 32, he is
         able 104

biih; in, into 30

bii'háátłizh; I fell out of it 17

biih nínááh; you put on 23

bíínighah; you are able 104

bííníshghah; I can, am able to 100

bijeeyi'; in his ear 2

bikéé'; it's track 19

bik'idideesdis; I will wrap it 68

bik'ididíídis; you will wrap it 68

bik'ididoodis; he will wrap it 68

bik'índísdis; I have been wrapping it
         46

bik'índídis; you wrap it 55

bik'índisdis; I wrap it 55

bik'izhdiilnii'; pressure, pressing
                 down 92, one puts
         his hands upon it 93

bik'izhdiilnii' nahalingo neezgai: it
    hurts as if someone is pressing
    upon it 93

bilah; his sister 3

biłní; he says to him 104

bimá; his mother 3

bináá'; his eyes 2

bínaaí; his older brother 3

bina'azhnish; he was worked on 52

bin'doonish; he will be worked on 52

biné'é; his nose 2

biniina; for that reason 35

biniiyé; for the purpose of 34

bitah; it's body 1

bitsilí; his younger brother 3

bits'oos; its vein(s) 51

bizhé'é; his father 2

chátł'ish; sputum 89

ch'ééh; barely, scarcely 53

ch'eeh; in vain, with difficulty 49

chidi bikéeji' deez'áhí; pickup truck 17

da'ahiighá; we fight(3 or more) 63

daantsaaígíí; the big one(s) 34

daats'í; question indicator, maybe? 65

dah; up 21

dah ńdah; you sit 12

dah yeshtííł; I hold it up(arm or leg)
              27

dah yítííł; you hold it up (arm or leg)
                 27

dah yootííł; he holds it up(arm or leg)
                27

damóo; Sunday 24

damóo biiskání; Monday 24

damóoji; for a week 21

damóo yázhí; Saturday 24

damóo yéedáá'; last week 2

danííníilts'áá'; we listen to you 101

daniłní; they say to you 98

dashiłní; they say to me 104

deesháál; I shall arrive 14, 95

deeshgish; I will cut it 68

deeshnił; I shall give something (separable) 34

deeshtłah; I will spread it 59

deezkwih; he vomited 1

dei; upwards 51

deigo díní'íí'; look up 12

dékwih; I vomitted 8

déyá; I am going 19

dibéłíchíí'; brown 89

dideesh'íił; I will examine 35

di'doodlał; a light will be shone 17

dídziih; breath (noun) 35

didziih; he breaths 54

díí; this 19

diich'ééh; open your mouth 12

díí'di; four times 4

díí'di ahé'éíílkeed bita' ní'áago; four times hour between it extends(every four hours 24

díígish; you will cut it 68

díí jí; today 100

díí'jí; Thursday 24

diikah; we will arrive(3 or more) 16

díílééł; you will give 36

dííłtłah;you will salve, anoint 61

díínááł; you will come 14

díínááł; you will arrive 95

díínił; you will give (separable objects as pills or tablets) 36

díísh?; this? 3

diit'ash; we will arrive (2) 16

dikos; a cough 1

dikos ntsaaí; pneumonia (cough big one) 3

díkwíidi azlíí'; what time is it 32

díkwíidi azlíí'go; at what time 32

díkwíígóó; how much; how many 28

díkwíí jí; how many days 70

dilidgo; burning, it burns 92

dilkos; he coughs, is coughing 1,94

dílkos; you cough 8, 94

dílkosgo; when you cough 90

dił; blood 32

diłhiłgo; dark (referring to line on floor 19

díní'íí'; you look 23

díníkwih; you vomitted 8

dínóol'íił; it will be examined 30

disdziih; I am short of breath 49

diskos; I cough 8, 94

diskosgo; when I cough 90

-doo; future tense 14

dóó; and 51

doo áhályáa da; it is numb 84

doo áháshyáa da; I do not take care, I am stupid, a blockhead, crazy 98,102

doo'ash; they (2) will arrive 16

doo bitah hwiináa da; it is weak 84

dooda; no 5

doodaii'; or 89

doogááł; he will arrive 15, 95

doo hats'íi da; it is not well 1

dooh'azh; you(2) will arrive 16

dooleeł; future indicator 14

dootl'izhígíí; the blue one 19

dootł'izh; green 87

doo yá'át'éeh da; not good 5

doo yá'át'ééh yileehdáá'; if it doesn't improve 59

'éé'; clothes 23

éí doodago; it is not 5

-ésh; question indicator 1

góne'é; in it 32

háágoosha'; where?(in what direction) 19

haa hóót'įįd; what happened 46

haa'ísha'; where(on the body) 83

haa'ísha'; let's 101

haa néelt'e'go; how much 89

haash?; what? 17

haash yít'é; how, what color 89
               how is it? 90

haash yít'éego; how? 1

ha'át'éegoshá?; why? 101

ha'át'íí; what? 3

ha'át'íísh biniina?; for what reason? 98

háátłizh; it fell out 17

haayit'éego; how, in what way 73

habííyidíłkees; you cough it up 94

habííyidiskees; I cough it up 89, 94

hádą́ą́'; when (past time) 7

hádą́ą́'sh; when? 2

hadeezbingo; full 4

hadeezbingo; it's full 89

ha'diijaah; takeoff all of them 23

hadiiłtsóós; you take it off 23

dadiit'aah; to take them off 23

hágo; come here, let's go 19

hágoshį́į́'; all right 58

háísha'; who 2

hak'az; chill, coldness 92

hak'az shiih náálwo'; coldness running
   into me 93

haniihígíí; the one who is an authority
   (haniih; he is an expert) 21

hayídiiłkees; he coughs something up 94

haz'á; a place 73

hazhó'ógo; carefully, slowly . . . 35

hazhó'ógo nił hashne'; I explain to you
                         105

hazhó'ógo shił halne'; he explains to
                          me 105

hazhó'ógo shił hólne'; you explain to
                          me 105

hazlį́į́'; it became 57

hííłch'į'go; late afternoon 63

hiłii jį́į́'go; at dusk 63

his; pus 2

hodiniih; it hurts 2

hoditłid; it trembles 72

hóló̜; it exists 69

hółdzil; it is strong 107

honeezgai; it is feverish, ill 1

hooghandi; at home 9

hwiilne'; we talk 101

hwiiná; it is alive 84

i'deestsih; I will give an injection 15

i'díítsih; you give an injection 15

ídlą́; you drink 69, 76

ídlą́ago; your drinking 69

i'dootsih; she will inject it 11

i'íínítsi; you gave a shot 15

i'íístsi; I gave an injection 15

i'íítsi; he gave a shot 15

iiłháásh; you sleep 72

iiłháásh; he sleeps 77

íiyisí; exactly 83

iishháásh; I sleep 77

íłhosh; you sleep 72

íindzaa; you acted, did 55

íinilaa; you put 46, you made it 55

íishłaa; I put 46, made it 55

ílizh; you urinate 30

jó; well (expression) 17

k'ad; now 65

k'asdą́ą́'; almost, nearly 107

k'é'élto; it's broken 17

kodóó; from here 51

kóhoot'eedą́ą́'; a year past, last year 70

kojí; this way 23

kót'áo; like this, in this way 21

kót'éego; like this, in this way 21

kwą'é; here 12

lá; emphatic 19

lá'ąą'; all right 17

la'í; many, much 101

la'ígo; a lot 69

łah; once 72

łahda; sometimes 46

łahda át'é; sometimes it is 47

łahda doo át'ée da; sometimes it isn't 47

łeh; usually 46

łichíí'; red 87

łichíí'ígíí; red 19

łitso; yellow 87

łitsoiígíí; yellow 19

łizhinígíí; black 19

łóód; a sore 2

ná; for you 11

naa; into you 11

naa deesháál; I'll come to see you 14

náádeeshdááł; I'll come back(again) 15

naa deeshnił; I'll give you 36

náádíídááł   you come back (again) 15

náádíídááłgo; your returning 32

náádííłtééł; bring him back 5

náádoodááł; he'll come back(again) 15

naakiiską́ą́dą́ą́'; two days ago 2

naakiiską́ągo; in two days 5

naakigo; two kinds 34

naaki jí; Tuesday 24

naaki nááhai; two years 46

naaltsoos; paper, book 19

naaltsoos bik'ehgo; form,appointment slip 21

náálwo'; it runs 92

naa ninádinakaahgo; they pressure you 74

ná'ádlįįh; he is drinking 76

ná'ásdlįį'; it becomes again 32

ná'áshdlįįh; I am drinking 76

ná'áshdlįįh; I drink (repeatedly) 69

náásgo; forward 100

naashá; I walk about 101

naashnish; I am working 14

nabi'dishgizh; he had an operation 52

nádleeh; he becomes 54

náhádleeh; it's happening again 28

nahalin; he resembles 103, it seems, appears 98, he looks like it 94

nahalingo; it appears, seems like, resembles 89

nahonílin; you resemble 103, you look like it 94

nahonishłin; I resemble 103, I look like it 94

nahwii'ná; it moves 69

nahwii'ná; I have a problem(when prepounded with shich'į') 75

ná'ídlįįh; you are drinking 76

nákwih; he vomits 1

nani'dishgizh; you had an operation 52

nánídleeh; you become 49

nánídlį́į́h; you are drinking 76

nániigah; pains 48

nániigah; it hurts 89

nání jah; you lift them 84

nánikáahgo; you give it 4

nánikwih; you vomit 8

ná nísh'į; let me look at it(for you),
    I'll look at it for you 17

nánít'aah doo; you will give 4

nánítłah; you put it on(ointment) 59

Na'nízhozhi; Gallup 13

násdzid; I am afraid 98

náshdleeh; I become 49

náshdlį́į́h; I am drinking 76

nashi'dishgizh; I had an operation 46

náshjah; I lift them 84

náshjah; I lift it 86

náshkwih; I vomit 8

náshtłah; I anoint 62

ná yá'át'ééh 14

názkwih; he was nauseated 38

ndaaz(ígíí); heavy 84

ndah; no 11

ńdah; sit up 23

nda'iiníísh; Friday 32

ńdaniicha'; it swells 32

ndeeshgizh; was operated on 52

ńdeeshkał; I will stitch it 65

ńdeezid; month 28

ńdeezidéedą́ą́'; a month past 28

ńdeezidéedą́ą́'; months ago 53

ńdídzih; you breath (verb) 35

ńdídzih; he breathes 94

ńdídzihgo; when you breathe 89

ńdííłkał; you will stitch it 65

ndíínii'; it hurts 84

ńdíl'is; you soak your foot 51

ńdílnih; you soak your hand 51

ńdísdzih; I breathe 54

ńdísdzihgo; when I breathe 90

n'diyeeshhééł; I'll kill you 98

ńdoot'ááł; it will be placed 19

neezgai; it hurts 17

neezgaiígíí bik'idiilnííh; show where
    it hurts 23

néídlį́į́h; he is drinking 76

néidoołkał; he will stitch it 68

néíjah; he lifts it 86

néíłtłah; he anoints 62

neizjaa'; he lifted it 86

ni; your 6

nichátł'ish; your sputum 49

nich'ooní; your spouse 73

nideiji'éé'; your shirt 23

nidił; your blood 30

ni'dínóol'į́į́ł; you will be examined 28

nidlą́; you drink 76

nidlóóh; you are chilly 93

nidzéíts'iin; your chest 48

ni'ee'; your dress 23

nigaan; your arm 21

nighá; through you 17

nighá deeldlą́ą́dísh?; were you X-rayed?
    26

nighá di'dooldlał; you'll be X-rayed 26

nihiká; for you (more than one) 34

nihiká adoolwoł; it will help you 34

niichaad; they are swollen 2

nííghą́ą́'; your back 83

niih; into you 92

niilch'ííł; close your eyes 12

nijééyi'; your ears (inside) 35

nijéí; your heart 109

nijooła; it hates you 11

níká; for you 98

nik'éí; your relatives, family 73

nik'iná'iilchííh; you have nightmares 72

nilátsíín; your wrist 17

nileeh; you become 68

nílį́; it flows 32

nilizh; your urine 30

nił ní; he says to you 104

nił hashne'; I tell you 105

nił hózhǫ́; you are happy 100

nimá; your mother 11

nina'azhnish; you were worked on 52

nin'doonish; you will be worked on 52

níni'; your mind 107, 98

nínił'į́; you look at 26

nínízin; you want 49

nísh'į́; I look at 26

nishijaa'; he lifted it 86

nishíníjaa'; you lifted it 86

nish'náájí; right side 84

nish'tł'aají; left side 84

nísílį́į́'; I menstruated 37

nisilį́į́'; she menstruated 37

nisin; I want 49

nísínídlį́į́'; you menstruate 28

nísínílį́į́'; you menstruated 37

nitah; your body 10

nitah náhodiiyiiłnáh; you are anxious, nervous 109

nít'i'ígíí; the one that extends long 19

nitł'aaji'éé'; your trousers 23

nitsoo'hantsééh; stick out your tongue 12

nízahji'; far, long 21

ńjíłkad; they won't be stitched 65

ńłt'ees; it roasts 28

nsékwih; I am nauseated 32

nsíníkwih; you are nauseated 32

nstaaígíí; big one 4

ntsékees; he things it 103

ntséskees; I think it 103

ntsíníkees; you think it 98

ń'téé'; past tense indicator, was 28

óone'; he is able 105

óone'; you are able 105

óoshne'; I am able 105, I can 101

sédá; I sit 55

sélį́į́'; I became 54

séłtłah; I salved, anointed 61

sétí; I lie (recline) 56, 86

shá; for me 52

shaa; into me, to me 11

shaa díínáał; come to see me 14

shaa díílééł; you will give me 36

sha'awéé'; my baby 28

shá'awéé' náhádleeh; I'm pregnant 28

shá bíighah; all day 107

shahane'; my story(ies) 101

sha'shin; perhaps, possibly (I think) 17

shá yá'át'ééh; it is good for me, I need it 14

shégish; I cut 63

shi; my 6

shibéeso; my money 69

shicháth'ish; my sputum 49

shich'i'; to me, toward me 98

shich'oozhlaa'; my elbow 25

shidá'í; my uncle 58

shidáyi'; my throat 10

shidzéíts'iin; my chest 48

shighá'deeldláád; I was X-rayed 26

shigaan; my arm 25

shigod; my knee 25

shịíí; probably 65

shiih; into me 92

shíínííts'ą́ą́'; you listen to me 101

shííshgháán; my back 25

shijáád; my leg 25

shijoołá; he hates me 73

shikééyázhí; my toes 84

shik'ai'; my hip 25

shikee'; my foot 25

shikéé'; my track(behind me) 19

shikétal; my heel 25

shikétsíín; my ankle 25

shikétsoh; my toe 25

shik'iijéé'; they jumped me 63

shik'iná'iilchííh; I have nightmares 72

shíla'; my hand, finger(s) 25

shílátsíín; my wrist 17

shił bééhózin; I know it 32

shił halne'; he tells me 105

shił hólne'; you tell me 105,101

shił hózhǫ́; I am happy 100

shiłní; he says to me 98

shimá; my mother 9

shina'azhnish; I was worked on 52

shin'doonish; I will be worked on 52

shíni'; my mind 107, 98

shíni' ásdịịd; my mind faded away (I fainted) 110

shínígish; you cut it 68

shinii'; my face 63

shinízin; he wants me 101

shitah náhodiiyiiłnáh 72

shitsą́ą́'; my ribs 25

shitsiits'iin; my head 6

shiwos; my shoulder 25

sid; scar 65

sidá; he sits 56

sido; warm 51

silíí'; it became 2

sínídá; you sit 56

sínídáago; when you sit 51

síníłíí'; you became 54

síní tị́; you lie down 35

síní tị́; you lie(recline) 86

síní tị́igo; when you lie(down) 51

síníłtłah; you salved, anointed 61

sisíí'; it tingles 84

si tị́' he lies (reclines) 56

t'áá 'ákódí';that's all, it is finished 21

t'áá'ákwíí; every (day, summer,etc.) 34

t'áá'ákwííjí; every day 51

t'áá áłahjị'; all the time 46

t'áá ałch'ijííh; both sides 84

t'áá ániid índa; just recently 58

t'áádeesgis; I will wash it(impermeable) 60

táa'di; three times 34

táádíígis; you will wash it(impermeable) 60

t'áadoo baah níni'í; don't worry 102

t'áadoo bóhooł'aahí; don't learn it 102

t'áadoo le'é; things 72,84,98

t'áadoo yánííłti'í; don't talk 102

t'áá háidi; who 12

tááidoogis; he will wash it 59

t'áá'íiyisí; much, a lot 100

táá'jí; Wednesday 24

t'ááłá'í; one 4

t'ááłá'í damóogo; one week 4

t'ááłá'ígo; one(of a kind) 34

táá néízgiz; he washed it 61

t'áá sáhó; alone 73

tááségiz; I washed it 61

t'áásh'aaníí?; really 101

táá sínígiz; you washed it 61

tánínánígis; you wash it 61

tánínásgis; I wash it 61

tánínéígis; he washed it 61

tab; body, body frame 6

t'éí; only 3

t'éiyá; filler word 69

t'įįhdígo; a bit (small amount) 65

tł'éé'; night 7

tł'éédą́ą́'; last night 2

tł óół; string 27

tó; water 27

t'óó; just 3

t'óó 'ahayóidi; many times 11

t'óó 'ahayóigo; a lot, much 89

tsiits'iin; head 6

tsiits'iin diniih azee'; aspirin 4

tsits'aa'; box 27

tsxį́į́łgo; quickly, fast 109

tsénádleehí; cast (cement, concrete) 19

tsídeigo níteeh; lie back 23

tsii'yaa níteeh; lie face down 23

yaa áhályání; one who takes care of him 30

yaago díní'íí'; look down 12

yá'ánísht'ééh; I am good 104

yá'ánít'ééh; you are good 98

yaa ntsékees; he thinks about it 74

yá'át'ééh; it is good 3

yádajiłti'; they talk 103

yádajiłti'; they are talking 98

yádałti' they talk 103

yáłti'; he talks 103

yáníłti'; you talk 103

yas; snow 28

yáshti'; I talk 103

yas ńłt'ees; January 28

yá yá'át'ééh; it is good for him, he needs it 14

yázhí; small one 4

yee; with it 21

yéedą́ą́'; past time indicator 28

yéigo; with greater intensity, faster, harder, deeper 35

yí'ááł; to take (a bulky object) 27

yididooniił; he will say to him 60

yidlą́; he drinks 76

yidlóóh; he is chilly 93

yidoogish; he will cut it 68

yidoołtłah; he will salve, anoint it 61

yigááł; he walks along 26

yighá di'doołdlał; he will be X-rayed 26

yiizį́į́h; stand up 35

yijih; to take (in a hand) 27

yíkááł; to take liquid in open container 27

yik'índidis; he wraps it 55

yileeh; he becomes 68

yileehgo; it becoming 65

yileehdą́ą́'; if he becomes 5

yílééł; to take (string like object, inanimate) 27

yiltsą́; she is pregnant 37

yilwoł; it runs (beats) along 109

yílwoł; you run along 111

yíłtééł; to take (live flexible object)
      27

yíłtsoos; take it   19

yínááł; you walk   19

yinidzaa; happened (to you)   17

yíníltsá; you are pregnant   30

yíníltsá̧hígíí; if you're pregnant   32

yiníł'i̧; he looks at   26

yíníłts'áá'; you listen to it   105

yínísts'áá'; I listen to it   105

yiyíísts'áá'; he listens to it   105

(yi)nízin; he wants, needs   55

yisdah; refers to breathing, exact
      meaning not known   49

yisháął; I walk along   26

yishdlá̧; I drink   76

yishdlóóh; I am chilly   93

yishłeeh; I become   68

yishwoł; I run along   111

yistłah; he salved, anointed it   61

yistsá̧; I am pregnant   37

yítííł; you hold it (carry it)   21

yíwohdah; farther on   5

yizhgish; he cut it   68

yoołkáałgo; date (of the month, etc.)
      28

CPSIA information can be obtained
at www.ICGtesting.com
Printed in the USA
BVHW011426130420
577468BV00008B/403